Jella op de Franse toer

5
6

Van Yvonne Brill zijn bij De Fontein verschenen:

Bianca redt een merrie
Bianca maakt een piaffe
Bianca rijdt military
Bianca op de sulky
Bianca in de Wildwestshow
Bianca en het paardrijkamp
Bianca naar de manege
Bianca naar Manege Rampenfonds
Bianca en de mysterieuze hengst
Bianca en het Gouden Godenpaard
Bianca op de Olympische Spelen
Bianca op concours
Bianca rijdt dressuur
Bianca en de steppepaarden
Bianca in de Camargue
Bianca en het ruiterkamp
Bianca op trektocht
Jella als draver
Jella's grote kans
Jella het veulen
Jella op de Franse toer
Dromen zijn toch bedrog
Rancho Romantica op Mallorca
Olé voor Rancho Romantica
Als de Regengod roept
Jessica en haar computerbende
Jessica en het geheime videospel
Jessica en het verdwenen gouden ei
Brenda op de renbaan
Brenda wint de race
Brenda steelt de show
Brenda en de wilde hengst
Brenda trekt door stad en land

ISBN 90 261 0713 7

Omslag en illustratie: Yvonne Brill
Grafische verzorging: Studio Combo
Verspreiding voor België: Uitgeverij Westland nv, Schoten

Inhoud

Hoofdstuk 1

Een uitnodiging die klinkt als een klok!

Anika de Korte rent de trap af, ze is weer eens te laat opgestaan en dat terwijl er een heel belangrijke repetitie op het programma staat.

De helderblauwe ogen van Anika, die normaal zo stralend in het pittige gezicht staan, kijken bezorgd. Waarom moet school altijd nummer één staan?

Moeder Elke kijkt verbaasd naar het ernstige gezicht van haar dochter. Volgende week begint de vakantie, je zou aannemen dat Anika overloopt van enthousiasme, want vakantie betekent voor Anika de Korte: naar Jella! Jella, die zo'n belangrijke plek in haar dochters leven inneemt.

Het is een nu bijna driejarige merrie, die helaas door geldschaarste moest worden verkocht. Gelukkig zijn de nieuwe eigenaars vrienden van Anika geworden en iedere vakantie is ze op de stoeterij de Olde Bongerd te vinden.

Anika propt een paar boterhammen in een zak van haar windjack en zegt: 'Tot vanmiddag, mam.'

Ze werpt zelfs geen blik naar de wei waar Chief, de Appaloosa, en Frida, de moeder van Jella, lopen te grazen.

Theo de Korte komt de keuken binnen en vraagt: 'Wat is er met onze Anika aan de hand?'

Moeder haalt haar schouders op. 'Misschien

heeft ze moeilijkheden op school en is ze daarom zo stil,' merkt ze op.

Vader zucht. 'Dan is er nu niets meer aan te doen, het schooljaar zit erop. Anika is nooit een ster geweest op school, maar ik geloof dat ze de laatste tijd heel erg weinig aan haar schoolzaken heeft gedaan.'

Er is op het bedrijf van De Korte veel te doen. Anika heeft een kleine hengst cadeau gekregen,* genaamd Payaso, die erg veel aandacht nodig heeft en dat dan ook volop krijgt.

Theo de Korte kijkt naar moeder Elke en zucht. 'We zullen vanmiddag eens met onze oogappel praten, schenk me nu maar een kop koffie in.'

Inmiddels heeft Anika de eindspurt ingezet op haar wat gammele fiets. Haar beide lievelingsvriendinnen, Jos Kramers en Loes van Meerwijk, staan al ongeduldig op het schoolplein te wachten.

'De bel is al voor de tweede keer gegaan,' zegt Loes nadrukkelijk, als Anika met een kleur van inspanning haar fiets in het fietsenhok mikt.

'Ik heb vandaag mijn dag niet,' zucht Anika. 'Ik ben bang dat er nog heel wat rampzalige dingen gebeuren voordat de dag om is.'

'Jakkes, jij hebt altijd van die vrolijke invallen,' griezelt Loes.

'Weet je zeker dat er geen heksen in jouw fami-

* zie *Jella's grote kans*

lie voorkomen?'

'Schieten jullie nu maar op, daar gaat de laatste bel,' zegt Jos Kramers op nuchtere toon.

Met frisse tegenzin lopen de drie vriendinnen naar binnen.

De conciërge kijkt niet al te vriendelijk naar de laatkomers.

Loes van Meerwijk voelt een lachbui opkomen en dat is niet zo wenselijk als je het eerste uur een fikse repetitie natuurkunde moet verwerken.

'Heb jij het goed geleerd?' fluistert ze Anika toe, terwijl ze op haar plaats schuift.

Anika haalt wat aarzelend haar schouders op.

Naar haar idee heeft ze aardig wat aandacht besteed aan de opgaven, maar Frida, Chief en Payaso hebben heel wat van haar vrije tijd opgeslurpt. Ze zucht dan ook diep als de formulieren worden rondgedeeld.

Verbaasd leest ze de vragen over en schudt haar hoofd. Er klopt hier iets niet. Deze zaken heeft ze niet geleerd. Aarzelend steekt ze haar vinger op.

'Meneer, ik begrijp deze vragen niet,' zegt ze zeker van haar zaak.

Meneer Kosters kijkt verstoord in de helderblauwe ogen. Is dit weer een grapje van het opgroeiende spul? Hij fronst zijn voorhoofd, maar Anika's gezicht staat volkomen onschuldig.

'Als je de les hebt geleerd, kun je deze vragen gemakkelijk beantwoorden,' geeft hij ten antwoord.

Anika kijkt bedenkelijk en bestudeert opnieuw de vragen. Ze komen haar echter volledig onbekend voor.

'U hebt zich vast vergist,' klinkt haar stem onverstoorbaar door de klas.

Haar leraar begint zijn geduld te verliezen, dat kun je zien aan een ader die in zijn hals begint te kloppen.

'Anika de Korte, deze vragen gaan over hoofdstuk tien tot vijftien en wil je zo vriendelijk zijn de andere leerlingen niet van hun repetitie af te houden?'

Anika verschiet van kleur. Zij heeft de eerste tien hoofdstukken geleerd... wat een rampzalige blunder.

Dit is een vak waar ze krap een voldoende voor heeft, nu kan ze het verder wel vergeten!

Met een wanhopig gebaar loopt ze naar voren en legt de vragenlijst bij meneer Kosters op het bureau. 'Ik heb de verkeerde hoofdstukken geleerd, meneer,' zegt ze met tranen in haar stem.

Ze buigt haar hoofd en de tranen vloeien als een beek langs de bolle wangen.

Meneer Kosters die ook de beroerdste niet is, schudt zijn hoofd.

'Anika de Korte, als het niet met paarden te maken heeft, bak je er in het algemeen weinig van, is het niet?'

Anika knikt. 'Voor deze keer zal ik je helpen, ik zal je een aantal vragen stellen over de eerste tien hoofdstukken,' zegt meneer goedgunstig.

Anika haalt opgelucht adem. Misschien heeft Loes toch gelijk en zijn er heksen in haar familie, maar wel van het goede soort.

Ze heeft veel minder tijd dan de anderen, maar dat geeft niet, ieder cijfer dat hier uitkomt is meegenomen.

In de pauze komen de drie vriendinnen in de aula bijeen.

'Jij hebt wel goed geluk gehad. Kind, ik bestierf het toen je meldde dat je de eerste tien hoofdstukken had geleerd.' Jos Kramers schudt haar hoofd. 'Hoe kom jij zo warhoofdig?'

Anika grinnikt. 'Jellakoorts, weten jullie het nu nog niet, volgende week om deze tijd ben ik op de Olde Bongerd.'

'Ik hoop dat je ook aan je vriendinnen denkt, want wij hebben geen vakantieplannen,' zegt Jos een beetje jaloers.

Zij hebben immers thuis een manege, dan kun je geen vakantie houden.

'Ik moet Margot nog bellen, maar als er niets bijzonders is, zijn jullie toch altijd welkom,' merkt Anika op.

'Wat ben ik benieuwd hoe het met Jella gaat en natuurlijk met Lucky en de andere paarden.'

Anika's gezicht klaart helemaal op als ze aan de komende week denkt. Nu ze door deze repetitie heengerold is, valt de schade van het overgangsrapport misschien nog wel mee.

Het zal wel hakken over de sloot zijn, maar over is over!

Anika droomt weg. Ze ziet in gedachten de velden van de Olde Bongerd, waar oude Henry en Philip de pronkstukken laten grazen.

Jella met haar roomkleurige manen draaft over het veld, totdat ze bij het hek komt waar Anika haar altijd begroet.

Michelle met haar veulen Capri geniet van de zon en showt haar veulen aan alle paardebuurvrouwen die een praatje komen maken.

Anika ziet de grafheuvel achter op het terrein, waar Jurre, de eens zo prachtige hengst, ligt begraven. Die zal zij nooit kunnen vergeten, net zomin als Lucky, Lucky de gitzwarte hengst die nu op de Olde Bongerd thuishoort.

Een eerlijke ruil, want Jella was bijna uit Anika's gezichtsveld verdwenen. Het ging immers na de dood van Jurre niet goed met de Olde Bongerd.

Geldgebrek is iets vreselijks en als je helemaal afhankelijk bent van de wedstrijdprijzen...

'Hé, ik vroeg of je meeging?' Loes van Meerwijk trekt aan Anika's arm.

'Daal maar weer even af naar de stervelingen,' grinnikt Jos plagend.

'Kind, je was al weer op de Olde Bongerd, ik ken zo langzamerhand die afwezige blik wel.'

Anika kleurt. 'Ik ben wel een hopeloze zaak, is het niet?' Beide vriendinnen knikken.

'Kom op, dan fuif ik op een zak patat,' zegt Anika gul. Daar zegt niemand nee tegen. Met zijn drietjes fietsen ze in een rustig tempo naar de kleine cafetaria op de hoek.

Theo en Elke de Korte kijken verbaasd als Anika stralend thuiskomt na school.

'Ik denk dat ik een dikke voldoende sta voor natuurkunde,' zegt ze tevreden.

'Wat mankeerde jou dan vanmorgen?' wil moeder toch wel even weten.

Anika grinnikt. 'Ik krijg iets van school, vooral als we vlak voor de rapportentijd zitten. Ik ben nu eenmaal niet zo'n studiebol,' zegt ze eerlijk.

'Ja, maar je bent ook volop met het schoolwerk bezig geweest,' vult vader aan.

Anika knikt. 'Toegegeven, maar ik moet hier ook altijd allerlei klussen doen en daar hoor je me nooit over klagen.'

Moeder Elke draait zich om. Wat een gehaaide dochter hebben ze toch, maar ze heeft wel gelijk. Hier op de Oude Aarde moet iedereen de handen uit de mouwen steken.

'Dochter, er is net voor je gebeld,' zegt moeder. Ze vindt dat er genoeg over school is gezeurd.

'Het was oude Henry, hij heeft groot nieuws. Ik heb beloofd dat je even terug zou bellen.'

Anika veert overeind. 'Zou Jella weer een koers mogen lopen?' Voor haar is goed nieuws altijd iets wat met haar Jella te maken heeft.

Ze vliegt naar de telefoon en draait met trillende vingers het nummer van Margot en Philip Anthony.

Het duurt even voordat er wordt opgenomen, dan komt oude Henry zelf aan de lijn.

'Ik vermoedde al dat jij het zou zijn,' zegt hij tevreden, als Anika zich meldt.

'Wanneer begint je vakantie?' wil hij weten.

Die datum kent Anika uit haar hoofd.

'Mooi zo, kun je de volgende dag hier al zijn?'

Anika wipt van de ene voet op de andere.

'Natuurlijk,' zegt ze een beetje kortaf. 'Waarom?'

De oude baas houdt de spanning er nog even in.

'Kunnen je beide vriendinnen ook van de partij zijn, ik heb wat hulp nodig,' gaat hij verder.

'Niets liever dan dat,' geeft Anika als antwoord.

'Goed, dan komt nu de belangrijkste vraag, hebben jullie alle drie een paspoort?'

Het blijft even stil aan de andere kant van de lijn. Anika trekt diepe rimpels in haar voorhoofd. Is dat weer een van de grapjes van de oude baas?

'Hé, ben je nog aan de lijn?'

Anika haalt diep adem. 'Ik weet niet of Jos en Loes een paspoort hebben, ikzelf heb wel zo'n ding.'

'Dan komt nu het grote nieuws, Jella mag uitkomen op een van de belangrijkste koersen in Parijs en ik heb jullie hulp nodig, dus bel maar gauw je vriendinnen en geef me nu maar even je vader.'

Perplex geeft Anika de hoorn aan haar vader en ze hoort dat oude Henry iets met haar vader overlegt. 'Mam, we gaan met Jella naar Parijs,' zegt ze helemaal onder de indruk. 'Mag ik even langs Jos en Loes rijden? Henry wil weten of zij ook mee kunnen.'

'Ik neem aan dat er ook nog met de ouders moet worden gesproken,' meent moeder Elke laconiek. 'Het lijkt me beter dat je vader dat voor zijn rekening neemt.'

Alles zingt in Anika. Jella kan in Parijs koersen. Wat heerlijk voor de Olde Bongerd, stel je voor dat ze daar ook een geldprijs wegsleept. Haar Jella, een kei van een merrie! Ze kan gewoon niet wachten tot vader Theo de hoorn op de haak legt.

'Pap, wat zei oude Henry, wat voor koers is het, hoe lang gaan we weg?'

Anika trekt aan haar vaders arm.

'Zover zijn we nog niet, eerst moeten de ouders van Jos en Loes hun toestemming geven, daarna wordt er verder gesproken over deze toch wel prachtige uitnodiging.'

Er stralen lichtjes in zijn ogen. Wat heerlijk dat Anika mee mag, natuurlijk krijgt zij toestemming van haar ouders. Even voelt vader Theo iets van spijt opkomen, als hij destijds Jella niet had verkocht, dan had hij nu een prachtige merrie die geld in het laatje kon brengen voor de Oude Aarde. Maar dat is nakaarten, Jella is verkocht en het is al prachtig dat Anika daar zo welkom is.

'Gaan we meteen even langs Loes en Jos?' fleemt Anika.

'Het lijkt me beter dat na het eten te doen, nu zijn de vaders nog niet thuis, maar de oude baas wil wel graag zo snel mogelijk antwoord hebben.'

Anika rent onrustig heen en weer.

Moeder Elke geeft haar man een knipoog. 'Ik heb je nog niet in de stal gezien, ik neem aan dat er wel wat werk te verrichten is.'

Anika bijt op haar lip, ze is haar lievelingen helemaal vergeten. Payaso heeft zijn avondeten nog niet gehad en Frida en Chief moeten ook nog voor de nacht worden verzorgd.

Het is vandaag zo'n vreemde dag. Eerst die snertrepetitie en vervolgens een prachtige afsluiting.

'Toch heksen in de familie,' mompelt ze, terwijl ze vals zingend naar buiten vliegt.

In de stal wordt Anika hartelijk hinnikend door haar kleine hengst begroet.

'Zo jongeman, zal ik je iets fantastisch vertellen? Jella, onze Jella, gaat een koers in het buitenland lopen. Ja, daar kijk je van op, is het niet?'

Anika de Korte praat altijd met haar paarden, maar nu moet ze helemaal haar verhaal kwijt.

Payaso krijgt een extra portie bix, omdat hij zo gehoorzaam luistert. Dan haalt ze Chief en Frida naar binnen, want de lucht begint te betrekken en vader Theo wil niet dat de dieren 's nachts in de wei blijven staan.

Frida moet natuurlijk ook het succesverhaal over haar dochter Jella horen. De merrie hinnikt zacht als Anika haar uitlegt hoe bijzonder Jella wel is.

Dan wordt ze geroepen om te komen eten.

Nog nooit heeft Anika zo snel haar bord leeggegeten.

Ze wil maar één ding, dat haar vader opstaat om naar de Kramers en Van Meerwijks te gaan. Helaas is hij helemaal niet van plan om op te schieten. Hij geniet van de verse boontjes en schept nog een keertje wat aardappels op.

Anika kan zuchten wat ze wil, vader Theo blijft rustig dooreten. Het toetje komt op tafel en daar lepelt hij ook twee porties van naar binnen. Dan leunt hij tevreden naar achteren en steekt een pijp op.

'Dat was weer heel lekker, moeder, nu nog een bakje koffie en dan kan deze man er weer tegen,' merkt hij op.

Ook dat nog, koffie drinken...! Zó komen ze helemaal niet weg. Anika zucht en zucht.

'Ga jij maar vast afwassen, dan kan vader tenminste rustig zijn koffie opdrinken,' meent moeder.

Met een gezicht waarop al haar gedachten staan af te lezen, gaat Anika uiteindelijk toch maar aan de slag.

Terwijl ze de borden in een overdadig sop laat vallen, dwalen haar gedachten af. Wat een machtige uitnodiging staat hen te wachten, nu maar hopen dat Jos en Loes een paspoort bezitten, volgende week gaan ze al op weg, waar zullen ze logeren?

Ze is nog nooit in Frankrijk geweest, eigenlijk

moet ze even naar de familie Strijbos bellen. Ze heeft al een hele tijd niets van haar vriendje Dicky gehoord.

Ze heeft wel een aantal ansichtkaarten ontvangen, want hij en zijn zus Joy hebben een aantal koersen in het buitenland gereden. Ze zijn immers al ervaren jockeys.

'Ik neem aan dat die borden inmiddels wel schoon zijn,' merkt moeder droog op.

Anika grinnikt. Ze heeft nog steeds de borden in het sop en zo komt ze nooit klaar met dit domme werk.

'Als je nu even opschiet, kun je met vader mee,' zegt moeder slim.

In recordtijd is de afwas klaar en Anika schiet snel een schone broek aan. Even een ruige borstel door de blonde krullen en dan davert ze de trap af, terwijl vader z'n oude auto start.

Manegehouder Kramers kijkt wel op dat Anika en haar vader ineens op de stoep staan.

'Jos is in de stal bezig,' zegt hij tegen Anika.

Deze vliegt de manege binnen.

'Wat kom jij doen?' vraagt Jos, terwijl ze een haarlok uit haar ogen veegt.

'Heb jij een paspoort?' valt Anika met de deur in huis.

Jos knikt aarzelend. Dan vertelt Anika over het telefoontje van oude Henry.

Jos Kramers slaat haar niet al te schone armen om het middel van haar vriendin en draait in het rond.

'Dat is nog eens een uitnodiging!' Dan betrekt haar gezicht. 'Alleen hoop ik dat mijn vader me zo lang kan missen,' zegt ze zacht.

'Pap praat op dit moment met hem, dus zal dat wel goed komen,' meent Anika.

'Kom, we bellen eerst even naar Loes. Jongens, Jella op de Franse toer, wie had dat ooit kunnen denken,' merkt Jos Kramers op.

'Ik,' zegt Anika rustig. 'Jella is van het eerste moment af iets heel bijzonders geweest.'

Jos glimlacht. Ze vindt ieder paard bijzonder, maar als je zoveel om één paard geeft, dan is dat paard het belangrijkste in je leven.

Loes van Meerwijk heeft ook een geldig paspoort en haar ouders vinden het onmiddelijk goed dat ze met de Olde Bongerd-mensen mee naar Frankrijk gaat.

Er zijn geen gelukkiger kinderen te vinden dan onze drie vriendinnen.

De vader van Jos heeft toestemming gegeven, omdat Jos ook wel eens een vakantie verdient. Ze moet na schooltijd altijd hard genoeg in de manege werken. Het duurt even totdat Anika die avond in slaap valt.

Haar laatste gedachten gaan naar Jella. Haar Jella, de mooiste merrie van de hele wereld!

Hoofdstuk 2

Op naar het Bois de Boulogne

'Jongens, ik ben over!' Anika gooit enthousiast haar rapport op tafel.

Moeder Elke kijkt tevreden.

'Niet over de cijfers zeuren, het is hakken over de sloot,' bekent Anika eerlijk. 'Ik heb twee taken, maar dat mag de pret niet drukken,' meent ze. 'Wat mij betreft, kunnen we naar Frankrijk vertrekken.'

Vader Theo schudt zijn hoofd. Die dochter van hem is toch wel een apart kind. Moet je haar nu eens zien. De helderblauwe ogen stralen, terwijl haar blonde krullen verward om het hartvormige gezicht heen springen.

'Hoe staat het met Loes en Jos?' wil moeder weten.

Anika de Korte maakt een wegwerpgebaar. 'Die hebben prachtige rapporten, maar zij kunnen nu eenmaal heel goed leren. Heeft de oude Henry nog gebeld?' wil ze weten.

'Zeker, morgenvroeg is er een vergadering op de Olde Bongerd,' zegt vader Theo.

'Joepie, het feest kan beginnen.' Anika springt als een jonge hond in het rond, morgen ziet ze haar Jella weer!

'Wanneer vertrekken we eigenlijk naar Parijs?' vraagt ze aan haar vader.

'Daar hebben we het niet over gehad, dochter

van me. Trouwens, als je zo opgewonden blijft springen, denk ik niet dat je van enig nut bent voor de stoeterij.'

Anika trekt een ernstig gezicht.

'Jakkes pap, in plaats dat je meedoet, tenslotte is het een belangrijke dag voor me, je gaat niet zomaar over,' sputtert ze.

'Mm, wat houdt dat in, dat ik moet trakteren of zo?' Vader Theo trekt een bezorgd gezicht.

'Dat zou een goed begin kunnen zijn,' merkt Anika rustig op.

Moeder Elke schiet in de lach. Wat een handige donder!

'Aan wat voor traktatie had de jongedame gedacht?' vraagt vader poeslief.

'Als we morgenvroeg naar de Olde Bongerd rijden, lust ik misschien wel een reuzenmoorkop bij dat gezellige restaurantje vlak bij de Olde Bongerd.'

'Ik zal zien of dat eraan zit. Als je nu even je beesten onder handen wilt nemen, want ik moet nog wat boodschappen doen.'

Vader geeft zijn vrouw een knipoog en vertrekt naar de niet al te nieuwe auto, die toch weer braaf aanslaat.

Payaso is door vader Theo, samen met Frida en Chief, in het weitje gezet. Het diertje ziet er tevreden uit. Trouwens, alle drie de paarden zijn een lust voor het oog.

Anika gaat eerst de boxen schoonmaken, al heeft

ze daar een verschrikkelijke hekel aan.

Natuurlijk hoort dat bij de hele paardeverzorging, maar toch, er zijn leukere klusjes te bedenken. Ze blijft even op de hark leunen. Over een dag of wat reist ze af naar verre streken!

Jammer dat ze niet zo'n ster in talen is. Want met Nederlands zal ze in Frankrijk niet al te ver komen.

Anika neemt zich voor om toch op school wat meer haar best op de vreemde talen te gaan doen, je weet immers nooit waar je in de toekomst nog terechtkomt.

Jella die uit mag komen in zo'n belangrijke race...!

Ineens betrekt het gezichtje van Anika. Als Jella maar niets overkomt. Tenslotte ligt de ramp met Jurre, de veelbelovende hengst van de Olde Bongerd, haar nog vers in het geheugen. Door een onvoorzichtigheid heeft het dier zijn nek gebroken.

Anika rilt en met een grote schep mest loopt ze de stal uit.

Het is maar beter daar niet te veel aan te denken.

Natuurlijk is Jella maar een paard, maar ze betekent méér voor Anika dan wat dan ook.

Nadat ze de boxen heeft gedaan, spoelt ze zorgvuldig de etens- en drinkbakken om. Paarden zijn bacteriegevoelig, daarom moet je daar erg veel aandacht aan besteden.

Tevreden loopt Anika naar buiten. Nu de drie

paarden nog even borstelen en dan is het werk gedaan.

Frida hinnikt nadrukkelijk als ze Anika ziet aankomen. Het is net alsof ze met Anika over haar dochter, Jella, wil praten. Niet iedere merrie heeft zo'n succesvol kind!

Anika begrijpt Frida best, ze praat met al haar paarden.

Deze avond moet moeder Elke haar dochter aansporen om op tijd naar bed te gaan.

Vader Theo wil niet later dan een uur of acht morgenvroeg vertrekken en als Anika zo onrustig blijft rondspoken, komt ze nachtrust te kort.

Als Anika eindelijk in bed ligt, wil de slaap niet komen. Ze zoekt haar kleding voor morgenvroeg bij elkaar, pakt een plakboek waarin meerdere foto's van haar en Jella zijn geplakt. Dan komen de herinneringen en duurt het uren voordat Anika in slaap valt.

Jos en Loes zijn keurig op tijd op de Oude Aarde aanwezig.

Anika heeft een ochtendhumeur.

'Dat komt ervan als je niet genoeg hebt geslapen,' zegt moeder hardvochtig.

Ze heeft Anika best in de gaten gehouden.

'Hier, drink nu maar gauw je thee en eet een paar boterhammen, straks val je van de graat.'

'Dat zal wel loslopen,' merkt vader Theo op.

'Kom, ik wil niet te veel tijd verliezen. Jongedames, instappen!'

Vader Theo rijdt in één ruk door naar de Olde Bongerd.

Anika heeft nog even in haar hoofd om te gaan drammen over de beloofde moorkop, maar ziet ervan af.

Vader heeft veel werk te doen en het is al mooi dat hij meegaat om over de vakantie te praten.

Anika veert op. Daar ligt de Olde Bongerd!

Zal Jella in de wei staan en vaders auto herkennen?

Vader Theo schudt zijn hoofd als Anika bijna naar buiten valt, zo'n haast heeft ze om naar Jella te gaan.

Jos en Loes schieten in de lach. 'Het valt me mee dat ze nog kon wachten totdat de auto stilstond,' grijnst Loes van Meerwijk.

Anika kijkt het veld over. Daar staat ze, ze herkent haar merrie al van verre.

'Jella!' Haar stem klinkt helder over het veld.

Vader Theo ziet dat de merrie de stem herkent en ze komt meteen langs het hek galopperen.

'Dag Jeltje, hier ben ik weer, heb je me gemist?'

Jella legt haar grote hoofd met de roomkleurige manen tegen het meisjesgezicht met de blonde krullen en fleemt.

Anika en Jella lijken alleen op de wereld te zijn, ze merken niets van hun omgeving. Er zijn twee wezens en die zijn gelukkig.

Jos Kramers veegt over haar ogen. 'Ik vind dit zo bijzonder, die twee, daar kan ik van janken.'

Loes van Meerwijk knikt. 'Je hebt gelijk hoor, Loes, ik heb nog nooit een dier zo aanhankelijk gezien.'

'Kom, laten we Margot en Philip maar eens opzoeken, die twee hebben ons niet nodig.'

'Wie heeft jullie niet nodig,' klinkt het achter de meisjes.

Ze kijken in het lachende gezicht van de oude Henry.

Loes wijst naar de wei. De oude baas lacht. 'Ik heb dat tweetal ook al een tijdje gadegeslagen,' zegt hij glimlachend.

'Jella heeft Anika minstens zo erg gemist als zij de merrie. Dag Theo, fijn je weer te zien, laten we maar even een kop koffie gaan drinken en over de komende race praten,' zegt hij hartelijk.

Anika volgt even later de anderen. Ze heeft zich met moeite van Jella los kunnen maken. Wat heerlijk om haar Jeltje weer te zien.

Margot is ook blij dat Anika en haar vriendinnen er weer zijn. Ze beginnen zo langzamerhand deel van de Olde Bongerd uit te maken.

'Vertel, Henry, waar gaan we naar toe?' Anika kan haast niet wachten om meer over deze werkvakantie te weten te komen.

Want dat ze de handen uit de mouwen moeten steken is duidelijk.

'Kijk, het zit zo...' begint de oude baas. Hij steekt een pijp op en gaat er eens goed voor zitten.

'Ik kreeg, via mijn neef Louis Heins, de tip door

dat er een bijzondere race in Longchamp wordt gereden, dat gebeurt elk jaar, een race voor driejarigen. Louis werkt op de baan in Longchamp, dus zit dicht bij het vuur. Ik had hem over Jella geschreven, hij vond dat we maar eens moesten proberen wat er nu werkelijk in Jella steekt. Deze race is voor hele goede aankomende renpaarden, weet je? Goed, wij kunnen bij Louis en zijn vrouw Marie logeren. Jan Verboom zal met Jella koersen en jullie zijn nodig om te zorgen dat alles op rolletjes loopt.

Philip moet hier op de Olde Bongerd blijven en Margot kan ook niet mee. Dit alles is voor een oude man zoals ik een beetje te zwaar, vandaar dat ik op jullie reken.'

Zijn ogen blijven op Anika rusten.

'Jella is een heel bijzonder dier, op jou rust de verantwoording dat de merrie zich happy voelt. We vertrekken zaterdag en hebben een week om ons op deze koers voor te bereiden.'

De oude baas glimlacht. 'Het is een vakantie maar het gaat om meer. Als onze Jella bij de eerste vijf eindigt, betekent dat heel veel voor de toekomst van de Olde Bongerd,' legt hij uit.

'Trouwens, Anika, er koerst ook een zekere Dicky Strijbos op Longchamp,' lacht hij plagend.

Anika kan er niets aan doen dat ze een kleur krijgt. Wat heerlijk dat ze Dicky binnenkort weer zal zien.

Vader Theo wil nog iets weten over een paar praktische zaken en dan wordt er afgesproken dat ze op zaterdagmorgen worden afgehaald bij de Oude Aarde.

'Geen vrachten kleding meenemen, alleen paardrijtroep,' merkt de oude baas op. 'We gaan niet naar een modeshow, maar op werkvakantie!'

Anika is naar buiten gestormd. Ze wil nog even alleen zijn met haar Jella.

'Jella, meisje, we gaan met je mee naar Frankrijk, je zult erg je best moeten doen en laten zien dat je heel speciaal bent.'

Jella hinnikt en neemt een stukje van de mouw van Anika's trui in haar mond.

'Je begrijpt me wel, we zien elkaar zaterdag al weer. Tot dan, mijn schoonheid.'

Als Vader Theo de auto start, rent Jella achter het hek naast de auto mee tot ze niet verder kan.

Anika kijkt haar merrie na totdat haar vader de bocht naar links moet nemen.

'Zaterdagmorgen om zeven uur vertrekken jullie,' meldt vader Theo nadrukkelijk. 'Het lijkt me het beste dat Jos en Loes vrijdag bij ons slapen,' merkt hij op.

De drie meisjes stralen alleen maar. Ze hebben een avontuur voor de boeg dat weinig leeftijdgenoten kunnen meemaken.

Die zaterdag is het om vijf uur 's morgens al een drukte van belang op de Oude Aarde. De meisjes hebben onrustig geslapen, daardoor zijn ze veel te vroeg opgestaan.

Vader Theo en moeder Elke hebben alleen hun hoofd geschud en zijn ook maar opgestaan.

Het is ook wel logisch, zo'n vakantie maakt iedereen nerveus.

Anika de Korte staat nu al voor de tweede keer onder de douche. Ze heeft de paarden in de stal verzorgd en rook daarna niet al te fris meer.

De familie is maar wat blij als oude Henry eindelijk het terrein oprijdt.

Natuurlijk wil moeder Elke Jella even zien. 'Wat ben jij mooi geworden,' zegt ze zachtjes tegen het dier, terwijl ze haar stiekem een dikke appel toestopt.

Jella hinnikt dankbaar, want ze is dol op appels.

'Anika, denk erom dat je je niet in de nesten werkt, niet te laat naar bed, je bent daar te gast. Gedraag je dus behoorlijk, hè!' Moeder Elke werkt het hele repertoire af.

Jammer dat het bij Anika het ene oor in en het andere uit gaat. Ze is toch geen kleuter meer. Ze weet zich heus wel aan te passen, maar begrijpt best dat moeder dit alleen uit bezorgdheid allemaal opsomt.

'Bel je even?' vraagt ze aan haar dochter.

Dat wil Anika wel beloven. 'Als ze daar tenminste telefoon hebben,' vult ze daarbij aan.

Vader Theo stopt haar wat zakgeld, in Franse francs, toe en woelt even door haar krullen.

'Zorg jij maar goed voor je Jella, misschien kan ze een goede plaats bereiken.'

Dan vertrekken ze.

'Waar is Jan Verboom?' vraagt Anika. Ze mist het vertrouwde gezicht van de jockey-trainer.

'Die komt morgenvroeg met de trein,' knikt de oude baas.

'Kom, we hebben een hele rit voor de boeg, vriendinnen.'

Anika kijkt nog even achterom en ziet als laatste de vertrouwde groene luiken van de Oude Aarde.

'Vertel eens iets over Louis en zijn vrouw?' vraagt Anika nieuwsgierig, want de rit is wel erg eentonig en de weg is lang.

'Louis is eigenlijk van beroep preparateur, maar daar kun je slecht van bestaan, daarom is hij op de renbaan een soort manusje-van-alles. Hij verzorgt de renpaarden; eigenlijk waar hulp nodig is, daar is Louis,' legt oude Henry uit.

'Wat is een preparateur?' vraagt Loes van Meerwijk.

'Hoe moet ik dat nu duidelijk uitleggen, hij zet dode dieren op.'

'Jakkes, wat eng,' meent Jos Kramers.

'Nee, hij heeft bijvoorbeeld voor beroemde torero's stierekoppen opgezet, voor jagers een zwijn of een bijzondere vogel.'

'Ik zie liever levende dieren, wie wil zoiets nu in huis hebben,' griezelt Loes van Meerwijk.

'Toch zijn er heel wat mensen die zoiets willen. Hij heeft me een keer verteld over een oude buurvrouw, wier hond was overleden, maar ze wilde hem niet laten begraven. Toen kwam Louis er aan te pas en ze heeft haar trouwe huisdier voor altijd bij zich.'

De oude Henry grinnikt als hij de ongelovige gezichten van de meisjes ziet.

'Ik bedenk het niet hoor, het is echt waar,' verzekert hij het drietal.

Anika denkt diep na. 'Had Louis Jurre ook kunnen opzetten?' merkt ze op.

De oude baas knikt. Waar dat kind niet aan denkt. 'Dat was toch beter geweest dan hem te moeten begraven.'

Henry slikt. Anika de Korte is Jurre, de kastanjebruine hengst, niet vergeten.

'Zullen we hier maar even de benen strekken en wat eten?' vraagt hij aan de meisjes, terwijl hij de auto met trailer aan de kant van de weg zet, vlak bij een uitspanning.

Het is nodig om de gedachten op iets anders te richten dan op Jurre.

'Ze hebben hier heerlijke crêpes,' weet hij te vertellen.

'Anika, ik bestel vast wat, als jij Jella even uit de trailer haalt en haar aan die dikke boom bindt.'

Daar heeft Anika niets op tegen. Ze heeft de gedachte aan Jurre al van zich af gezet.

'We kunnen hier op het overdekte terras buiten eten, zo kunnen we een oogje op onze Jella houden,' meldt oude Henry even later.

'Is het nog ver?' vraagt Loes van Meerwijk. Ze

wil aan de anderen niet laten merken dat ze een beetje wagenziek is.

Oude Henry schudt zijn hoofd. 'Als we flink doorrijden zijn we er vóór de schemering invalt.'

Anika vraagt een emmer water om Jella te kunnen drenken.

Daarna kan zijzelf van haar eten en drinken genieten.

De oude baas knikt goedkeurend. Deze Anika is een aanwinst voor iedere stoeterij.

Automatisch denkt ze aan het dier, je hoeft haar nooit iets te vragen, ze ziet het werk ogenblikkelijk.

'Als je van school gaat, kom je dan op de Olde Bongerd werken?' vraagt hij aan de blauwogige tiener.

Deze schokschoudert. 'U kent mijn liefste wens, ik wil jockey worden en misschien ook wel trainer van paarden. Ik wil dolgraag op de Olde Bongerd komen werken, maar om jockey te worden, moet ik eerst naar Deurne, daar kan ik de diverse opleidingen volgen,' zegt Anika op ernstige toon. 'Jammer dat je overal voor naar school moet, ik ben niet zo'n bolleboos,' zegt ze een beetje triest gestemd.

'Je kunt heel wat zaken op de Olde Bongerd leren, we helpen je straks graag, dat weet je toch,' troost de oude Henry.

Anika knikt. Ze leidt Jella weer terug in de trailer en maakt zorgvuldig de bandages om de benen vast. Jella mag zich niet bezeren, dat zou rampzalig zijn.

'Op naar Marie en Louis,' zegt Henry, terwijl hij zijn oude rug recht.

Hij wil niet toegeven, dat deze rit behoorlijk vermoeiend voor hem is.

'De paden op de lanen in,' begint hij te fluiten. Je moet de moed erin houden.

Voorzichtig draait hij de auto het pad af en kijkt even op de kaart die Loes op haar schoot heeft.

'De laatste loodjes kinderen, ik denk dat Marie vast iets lekkers op het vuur heeft staan,' belooft hij het drietal.

'Ik ben ervan overtuigd dat Louis en Marie dikke vrienden van jullie worden.'

Hoofdstuk 3

Er moet gewerkt worden

Anika en haar vriendinnen voelen zich onmiddellijk thuis bij Marie en Louis Heins.

Als ze het terrein oprijden, verbaast Anika zich over het feit dat het er hier zo on-Frans uitziet. Toegegeven, Louis Heins en zijn vrouw wonen op een grote boerderij, Mas genaamd, maar de Hollandse gezelligheid is heel duidelijk als het hek, met prachtige smeedijzeren paardehoofden erop, wordt geopend.

'Daar zijn jullie dan,' lacht neef Heins als hij de meisjes met een kus begroet.

Jella krijgt eindelijk de kans weer de benen te strekken.

'O la la, dat is een schoonheid,' laat Louis zich ontvallen.

'Ze is nog mooier dan ik me had voorgesteld.'

Oude Henry knikt tevreden.

'Kom, jongedame, ik zal jou je onderkomen laten zien,' zegt Louis, terwijl hij Jella over haar neus aait. Jella laat het zich welgevallen, al kijkt ze wel even waar Anika is.

'Het is al goed, Jeltje, ik ga wel even mee,' praat Anika tegen haar merrie.

Loes van Meerwijk kijkt naar de windwijzer, die ook al met een paard is versierd.

Er komt een klein en teer gebouwd vrouwtje aanhollen.

'Dit is mijn Marie,' stelt Louis trots z'n kleine Franse vrouw aan de gasten voor.

Marie spreekt een aantrekkelijk Nederlands met een opvallend Frans accent.

Ze gaat de meisjes voor. 'Jullie slaapkamer is boven, ik geloof dat het niet erg is dat jullie bij elkaar op één kamer moeten slapen, n'est-ce pas?'

Natuurlijk is dat veel gezelliger. Marie schuift het raam wijd open, zodat de meisjes het Bois de Boulogne kunnen zien.

Ze hebben een douche, aangrenzend aan hun logeerruimte.

'Hier kan ik het wel een aantal weken volhouden,' laat Jos Kramers zich ontvallen. Ze krijgt een kleur als Marie begint te lachen.

'Ik ga vast kijken of mijn soep klaar is,' zegt ze en vliegensvlug verdwijnt ze naar beneden.

Anika hangt uit het raam. Ze ziet dat Louis Heins en oude Henry onder een dikke boom zitten te debatteren.

'Ik heb je trainer-jockey net nog aan de lijn gehad, hij zal hier over een uur of drie zijn,' meldt Louis Heins.

'Bien, dan kunnen we morgenvroeg eens even zien of jullie Jella echt zo snel is, want op Longchamp lopen echt de beste driejarigen,'merkt hij op.

Anika borstelt het weerbarstige haar en rent naar beneden. Ze wil graag iets meer weten over die uitzonderlijke renbaan.

'Anika, Longchamp bestaat al sinds 1857, maar heeft al veel veranderingen en rampen moeten doorstaan,' legt Louis uit.

'Twee wereldoorlogen heeft de baan overleefd. Na de laatste oorlog besloten twee paardenliefhebbers dat Longchamp een van de mooiste renbanen moest worden en dat gebeurde. Eindelijk kwamen hun plannen tot rijpheid en in 1965 kwamen er geprefabriceerde tribunes. De Longchampbaan is de breedste in Europa, en weet je dat heel veel beroemde jockeys vertellen dat het hun jaren heeft gekost om deze baan te leren kennen?' zegt Louis Heins.

'Je laatste opmerking geeft ons echt moed,' grinnikt oude Henry.

Anika heeft ademloos het hele verhaal gevolgd. Tjonge, dat zal me wat worden.

'O ja, Anika, ik kreeg vanmorgen een telefoontje van een jockey, zijn naam was Dicky!' lacht Louis Heins. 'Ik moest je zeggen dat hij niet met Briljant op Longchamp zal zijn.'

Het gezicht van Anika betrekt.

'Hij moet een Engels paard berijden,' gaat Louis verder.

Marie roept de gasten naar binnen. 'Ik heb voor Jan iets apart gezet,' zegt ze gastvrij. 'Een mens wordt zo gaar van reizen.'

Anika zit wat voor zich uit te dromen, tot ze opveert bij een opmerking die oude Henry maakt.

'Luister, Louis, ik heb het je duidelijk geschreven, als Jella niet bij de eerste vijf eindigt in zo'n internationaal gezelschap, dan houdt dat in dat ze niet voldoende kwaliteit heeft!'

Louis Heins knikt. 'Maar een paard kan ook een slechte dag hebben, Henry, net als een mens,' verdedigt hij de paarden.

Anika fronst haar voorhoofd. Deze internationale test is dus niet toevallig! En als haar Jella niet voldoet?

Anika de Korte rilt. Ze dacht dat ze, door Lucky aan de Olde Bongerd te schenken, het gevaar van een verkoop van Jella had bezworen, maar dat blijkt helemaal niet het geval te zijn...

Als de oude baas even later zijn pijp opsteekt en langzaam over het terrein loopt om van de natuur te genieten, volgt Anika hem op de voet.

'Henry, ik maak me ongerust,' valt ze maar meteen met de deur in huis.

'Waarom, Anika?' wil hij weten.

'Als Jella niet voldoet, moet ze dan toch nog worden verkocht?' Anika slikt en haar helderblauwe ogen vullen zich met tranen.

'Maar, Anika, ieder renpaard moet presteren, niet alleen jouw Jella. Een renpaard dat niet aan de verwachtingen van de eigenaar voldoet, moet worden verkocht.'

'Jouw Jella redt het wel!' probeert de oude baas zijn harde woorden te verzachten. 'De waarheid, daar mag je niet omheen, ook al wil iemand die niet graag horen.'

Anika loopt met trage passen naar de stal, waar Jella staat te dromen. 'Jeltje, het leven is niet zo eenvoudig,' zegt Anika tegen haar lieveling. Ze streelt de roomkleurige manen en drukt een kus op de zachte neus.

'Ik moet er niet aan denken dat er een dag aanbreekt dat jij er niet meer zal zijn.'

Jella hinnikt zacht, alsof ze Anika wil vertellen dat ze zich geen zorgen hoeft te maken.

'Welterusten, mijn Jeltje,' zegt ze zacht.

Jan Verboom staat al een tijdje achter haar en Anika heeft er niets van gemerkt.

'Dag Anika, wat klinkt jouw stem triest, is er iets niet in de haak?' begroet hij de tiener.

Anika schokschoudert. 'Ik zie weer kamelen op de weg. Het is iets wat oude Henry zei: als Jella niet bij de eerste vijf eindigt, dan heeft ze niet voldoende klasse.'

Jan knikt en denkt, waait de wind uit die hoek?

'We zullen morgenvroeg wel eens zien in welke staat de jongedame verkeert. Ga nu maar snel slapen en vergeet de woorden van de oude baas, Jella is een geboren renpaard,' troost Jan Verboom.

Anika loopt naar boven, waar Loes en Jos al languit in bed liggen.

'Jij was zeker bij Jella,' constateert Jos op droge toon.

Loes van Meerwijk draait zich op haar zij. 'Jongens, ik kan mijn ogen niet openhouden, maf ze!'

Anika is blij dat haar beide vriendinnen verder geen fut hebben om te kletsen, want al haar gedachten draaien om Jella.

Toch slaat de reisvermoeidheid toe en tuimelt Anika in een genadige droomloze slaap.

'Luilakken, willen jullie deze werkweek met slapen volmaken?' klinkt het naast Anika's oor.

Het is de stem van Jan Verboom.

'Opschieten, we vertrekken naar Longchamp en Louis Heins wil daar vroeg zijn. Marie heeft al broodjes gesmeerd voor onderweg.'

Anika kijkt uit het raam.

'Het is prachtig weer en Jella staat al klaar in de trailer.'

Jan geeft Anika een knipoog en het drietal heeft weinig tijd nodig om zich gereed te maken.

Jos Kramers zoekt een schone trui op en poetst nog even over haar rijlaarzen.

Er is weinig kans dat ze op Longchamp kan paardrijden, maar je kunt nooit weten!

Marie heeft een thermos met chocola gevuld en dan kan iedereen vertrekken.

'Is het ver?' vraagt Loes van Meerwijk.

Louis Heins schudt zijn hoofd. 'Een paar kilometer, we hadden dat stukje ook kunnen lopen.'

Het eerste wat de drie meisjes opvalt, is een prachtig standbeeld van een paard.

'Dat is Gladiateur, dat was de eerste Franse volbloed die het Kanaal overstak om de begeerde Triple Crown van de Engelsen te winnen,' legt Louis Heins uit.

'Mm, dat was dan wel een schoonheid,' merkt Loes van Meerwijk op.

Anika's mond zakt open als ze de baan ziet waar de koers gelopen moet worden.

'Dat is andere koek dan een entrainement,' grinnikt Jan Verboom.

Louis Heins wijst waar ze Jella zolang kunnen laten.

Er zijn heel wat boxen, maar ondanks het feit dat het nog vroeg is, is er toch al heel wat bedrijvigheid.

Anika schudt haar hoofd. Dit wordt geen eenvoudige zaak, de concurrentie zal enorm groot zijn.

'Dag schoonheid, fijn dat je er bent,' klinkt het hartelijk achter haar.

Ze kijkt in de donkere ogen van Dicky Strijbos.

'Waarom kijk jij zo zorgelijk?' wil hij weten.

Anika bekent dat ze bang is dat haar Jella deze baan niet aankan.

'Ach kind, iedere baan heeft zijn moeilijkheden en een renpaard blijft een renpaard,' zegt Dicky filosofisch.

'Jij hebt gemakkelijk praten, bij jullie gaan de paarden niet zo snel in de verkoop,' merkt Anika een beetje snibbig op.

'Vertrouw jij nu maar op Jella, je ziet zo snel de zaken donker in. Neem mijn situatie: Briljant moest thuisblijven omdat een of andere Engelse lord een paard heeft dat beslist hier moet koersen. Daar ben ik mooi klaar mee, want meneer is een verschrikkelijk onuitstaanbaar schepsel, een hengst met de vreemde naam Dahlia,' grijnst Dicky. 'Hij trapt en bijt en doet telkens waar hij zin in heeft en met zo'n portret moet ik de baan op.'

Ondanks alles moet Anika daar hartelijk om lachen.

'Zo zie ik je liever. Ik wil je hiermee één ding duidelijk maken, iedere dag dat Jella uitkomt en iedere renbaan kan vreugde of verdriet brengen, geniet van je Jella zolang als je kunt.'

Anika knikt.

'Kom, ik ga eens even zien of meneer Dahlia zin heeft om een paar trainingsronden met me te rijden.' Dicky verdwijnt in de richting van de box waar Dahlia staat te wachten.

Anika haalt diep adem en loopt naar de baan, waar Jan Verboom al een aantal rondjes met Jella heeft afgelegd.

Louis Heins kijkt op de chronometer. 'Mm, niet slecht, helemaal niet slecht,' praat hij in zichzelf.

Marie heeft een geruit kleed op het gras uitgespreid en haalt de meisjes over om nu eerst maar eens te ontbijten.

De Franse knapperige broodjes gaan er best in, terwijl Anika naar de baan kijkt waar haar Jella rondrent.

Ze zwaait naar Dicky, die grote moeite heeft om

een machtig zwart paard binnen de perken te houden.

'Wat een monster, hij probeert telkens uit te breken,' zegt Jos Kramers.

'Op zo'n paard zou ik me niet wagen,' griezelt Loes van Meerwijk. 'Je kunt je nek wel breken.'

'Dat kun je ook als je niet uitkijkt waar je loopt,' meent Anika laconiek, maar ze moet toegeven dat die Dahlia voor grote moeilijkheden zorgt.

'Hoe komt Dicky Strijbos aan dat paard?' wil Loes weten.

Anika haalt haar schouders op. 'Het schijnt een speeltje te zijn van een of andere Engelse edelman, het dier moest hier koersen, vandaar dat Dicky's paard niet kan uitkomen.'

Inmiddels heeft Jella haar werk gedaan. Jan Verboom geeft Jella aan Anika over en zegt: 'Ze deed het lang niet gek, verzorg jij haar nu maar lekker!'

Daarom is Anika meegegaan. Ze ziet nog net dat Dicky met Dahlia buiten de baan rent.

Ze moet lachen. Dicky heeft echt moeite om het dier te laten luisteren. Dat kan me wat worden!

Jella krijgt een afdroogbeurt. Ze maakt de bandages om de enkels los en geeft de merrie wat te drinken, nadat ze eerst heeft gevoeld of het water niet al te koud was.

Jella staat rustig uit te dampen, terwijl Anika weer naar de groep terugloopt.

'Die vriend van je, Anika, dat is een kei van een

jockey, maar je boft niet als je voor lord Carrington moet rijden,' lacht Louis Heins.

De oude Henry kijkt hem nieuwsgierig aan.

'Lord Carrington ontdekt telkens paarden die volgens hem echte winnaars zijn. Helaas zijn de meeste mislukkingen, maar hij geeft niet op, ieder jaar verschijnt er wel weer een zogenaamde ontdekking. Dit jaar is het die Dahlia,' grinnikt Louis Heins.

'Arme Dicky,' zegt Anika lachend.

Ze ziet dat Dicky, helemaal bezweet, probeert Dahlia naar de box te loodsen en zelfs dat is geen eenvoudige opgave.

'Vraag maar of hij vanavond bij ons wil eten,' zegt Marie gastvrij.

Ze vindt het heerlijk als er jongelui op haar Mas zijn.

'Niets liever dan dat, ik zit in een gruwelijk pension,' bekent Dicky, als Anika de uitnodiging overbrengt.

'Hoe ging het met Jella?' vraagt hij belangstellend.

'Redelijk, geloof ik. Maar Dahlia was niet zo'n succes, heb ik gezien.'

Anika proest het uit en vertelt het verhaal over de excentrieke Engelse lord.

'Daar ben ik mooi klaar mee, Briljant had tenminste nog een kans gehad.' Dicky schudt zijn hoofd. 'Mijn vader had beter moeten weten dan zo'n opdracht aan te nemen.'

'Ach, je zult het wel overleven,' lacht Anika. 'Gelukkig weet iedereen hier dat lord Carrington ieder jaar een nieuwe ontdekking heeft, dus ga jij niet af. Ik zie je tegen de namiddag wel, je weet waar we logeren.'

Dicky gaat de box in en Anika hoort hem een paar niet al te fraaie woorden tegen het paard zeggen terwijl ze zich naar haar vrienden begeeft.

'Hij komt maar al te graag,' zegt Anika tegen Marie Heins.

'Hij woont in een slecht pension, net buiten de baan, ik kreeg de indruk dat het eten daar ook niet al te best was.'

'Hij kan dan beter bij ons komen logeren, er is nog plaats boven de stal,' zegt Marie. 'Ik neem aan dat Dahlia hier op stal blijft.'

Dat weet Anika niet, maar het feit dat Dicky bij hen kan logeren stemt haar heel gelukkig.

Dicky heeft heel wat meer ervaring als jockey en weet veel over de omgang met renpaarden.

Hij weet Anika altijd uit de put te krijgen als ze zich weer eens zorgen maakt over haar Jella.

'Daar loopt hij, ga hem maar even vertellen dat hij vanmiddag gelijk zijn spullen mee kan brengen,' lacht Marie.

Ze kijkt met glanzende ogen naar het tweetal, heerlijk om nog zo jong te zijn!

Anika komt al snel terug. 'Ik hoefde hem niet over te halen, hij neemt de uitnodiging graag aan.'

'Bon, dan kunnen we nu naar huis,' zegt de kleine Française tevreden. 'Luister, ik begrijp niet zoveel van trainingsprogramma's enzo, maar als jullie wat in de buurt willen rondrijden, kan dat. Onze buurman Jean Pierre heeft wel een paar prima paarden.'

Marie kijkt met een scheef oog naar oude Henry, Jan Verboom en haar echtgenoot.

'Er is geen enkel bezwaar dat Jella wordt bereden,' lacht de oude baas.

'Anika kent haar Jella zo goed, dat ik die twee rustig kan laten gaan zonder dat er risico's zijn voor de prestaties van het dier.'

Poeh, dat is een hele speech voor Henry en Anika groeit van trots.

'Geweldig, dan kunnen we wat rijden,' zegt Loes van Meerwijk gelukkig.

Jos Kramers bedenkt dat het een goed idee van haar is geweest om haar rijlaarzen aan te trekken.

'Ik zal jullie, op weg naar ons huis, bij Jean Pierre afzetten, dan hebben jullie wat meer tijd om de buurt te gaan verkennen,' meent Louis Heins.

Jean Pierre is een typisch Franse paardenliefhebber. Hij bekijkt de meisjes zorgvuldig voordat hij twee van zijn prachtige Camargue-paarden afgeeft.

'Zet ze maar bij Louis op stal vanavond,' zegt hij rustig.

Hij knikt naar de meisjes en verdwijnt achter zijn huis.

'Dat is wat je noemt iemand van weinig woorden,' merkt Loes verbaasd op.

'Blind vertrouwen is meer op zijn plaats, kijk eens wat een prachtdieren jullie hebben meegekregen,' zegt Anika hoofdschuddend.

Tenslotte zijn ze volledig onbekenden voor deze boer.

Jella is heel gelukkig dat ze zo vrij met haar Anika buiten kan rijden, zonder zadel met alleen het hoofdstel om.

Jos Kramers streelt een grauwkleurige hengst over het hoofd.

'Ik weet niet of je een naam hebt, ik noem je maar makker!'

De drie meisjes rijden onbezorgd over de smalle laantjes en over de uitgestrekte velden die tot hun grote verbazing niet met hekken zijn afgezet.

Anika rijdt naast Jos, die haar van opzij aankijkt.

'Wat denk je, Anika, maakt Jella een kans?' vraagt ze nieuwsgierig.

'Meer dan Dahlia, neem ik aan,' krijgt ze ten antwoord.

Ze wil tegenover haar vriendinnen dat benauwde gevoel dat haar af en toe overvalt niet toegeven.

'Er zal hard gewerkt moeten worden van de week,' zegt ze zacht.

'Wij zijn er ook nog, Jella zal de mooiste merrie zijn die op Longchamp rondloopt,' lacht Loes van Meerwijk.

Hoofdstuk 4

Trainen, trainen en nog eens trainen

Wat is Dicky Strijbos gelukkig dat hij bij de familie Heins zijn intrek kan nemen, los van het aangename feit dat hij dicht bij Anika kan zijn.

Marie Heins heeft onmiddellijk zijn hart gestolen door een prima en uitgebalanceerd maal voor hem neer te zetten. Tenslotte moet een jockey wel op zijn gewicht letten.

Oude Henry heeft samen met Jan, de trainer, een fiks schema voor Jella opgesteld.

De drie vriendinnen zitten moe aan de grote keukentafel wat uit te hangen. De dagen zijn lang en vermoeiend. De buitenlucht is toch anders dan thuis en hier moeten de handen ook flink uit de mouwen worden gestoken.

'Het lijkt me een goed idee dat jullie naar bed gaan,' zegt Marie. Ze ziet aan de witte gezichten van de drie meisjes dat ze aan slapen toe zijn.

'Morgen moeten we vroeg op Longchamp zijn, want dan is er een belangrijke medische keuring,' legt Louis Heins uit.

'Ik zal Jella morgen wel borstelen en verzorgen voordat we op weg gaan,' belooft Anika.

Jos bijt op haar lip. Zij hebben alleen de geleende paarden te verzorgen en dat is niet zo spannend als Jella onder handen nemen.

'Misschien kunnen wij Marie wat helpen,' stelt

Loes voor.

Ze wrijft over haar voorhoofd en probeert een geeuw te onderdrukken.

'Ik wek jullie om een uur of zes,' knikt Marie.

Ze gooit de meisjes nog een appel toe en wijst naar boven.

Dicky Strijbos geeft Anika een knipoog en blijft aan tafel met de mannen bomen.

Het thema, hoe kan het anders, is paarden!

'Hoe heeft jouw vader, met zijn kennis van paarden, je op kunnen schepen met die Dahlia?' vraagt oude Henry.

Dicky schokschoudert. 'Ik geloof dat het een kostbaar grapje is voor lord Carrington, anders had pap zich dit nooit op zijn hals gehaald, herstel, op mijn hals geschoven,' grinnikt hij.

'Wie noemt zo'n paard nou Dahlia?' Jan Verboom schudt zijn hoofd.

'Het dier had beter Cactus genoemd kunnen worden, ik ben bang dat je er werkelijk weinig eer mee kunt behalen.'

Dicky knikt. 'Ik ben het helemaal met jullie eens, maar ik moet met dit monster uitkomen, daar ben ik voor ingehuurd.'

'Misschien kun je Dahlia beter met sporen berijden,' grijnst Louis Heins. Het is een zuur grapje en er wordt flauwtjes om gelachen.

'Ik zoek mijn slaapzak maar eens op,' zegt Dicky. 'Ik moet al mijn krachten verzamelen om morgen in het zadel te blijven zitten.'

'Ik denk dat je beter kunt proberen op de baan te blijven,' zegt Jan Verboom.

'Dus heb ik dubbele kracht nodig,' glimlacht Dicky. 'Bonne nuit.'

Anika ligt met gevouwen handen onder haar hoofd wat te dromen. Wat heerlijk dat de prestaties van Jella tijdens de trainingen niet tegenvallen.

'Is die medische keuring belangrijk?' wil Loes van Meerwijk weten.

Anika haalt haar schouders op. 'Ik heb zoiets nog nooit meegemaakt, maar als Louis Heins dat zegt, zal het wel zo zijn.'

'Jella is toch goed gezond,' merkt Loes op.

Anika geeuwt. 'We zien het morgenvroeg wel. Jongens, ik ben zo stijf als een plank, wat hebben we ver gereden vanmiddag.'

Anika kijkt naar haar vriendinnen. Die zijn als blokken in slaap gevallen.

'Is het nu al tijd?' klinkt het wat schor naast Anika.

Ook zij komt wat duf overeind. Marie is op haar tenen binnengekomen en probeert de meisjes te wekken.

'Ik heb het ontbijt al in de keuken klaargezet,' zegt ze hartelijk.

'De mannen zijn al met Jella aan de gang, dus hoef jij je niet te haasten,' richt ze zich tot Anika de Korte.

Deze fronst haar voorhoofd. Dat is haar werk, Jella is immers haar verantwoording!

Loes van Meerwijk schiet snel onder de douche en zoekt een schone trui op.

'Hé, wat kijk jij zuur,' zegt ze tegen Anika.

'Het is anders een prachtdag,' merkt Jos Kramers op.

Ze schuift een raam open en haalt diep adem.

'Kom op, Anika, Jella wacht op je!' spoort ze haar vriendin aan.

Jella staat al aangebonden en goed verzorgd voor de deur als de drie meisjes naar beneden komen.

'Dag Jeltje, wat zie je er goed uit,' begroet Anika haar speciale merrie.

Ze drukt even het paardehoofd tegen zich aan om daarna te gaan ontbijten.

Ze slikt even een brok weg als Jan Verboom Jella in de trailer zet. Waarom kan ze er toch niet aan wennen dat Jella niet echt meer van haar is? Ze bijt met een strak gezicht in een croissant en neemt een slok thee.

'Dicky Strijbos is al naar Longchamp vertrokken om voor Dahlia te zorgen,' zegt Marie Heins.

Ze heeft Anika's zoekende blikken wel opgevangen.

'Er werd vanmorgen een telegram bezorgd, met als inhoud dat lord Carrington vanavond al in Parijs arriveert,' vertelt ze aan de drie meisjes.

'Wat een narigheid, misschien gedraagt het dier zich vandaag wat beter,' merkt Anika op.

'Ik ben bang dat Dahlia gewoon een verwend mormel is,' grinnikt oude Henry, die bij de laatste woorden van Anika net binnenkomt.

'Bestaan er mormels van paarden?' vraagt Loes van Meerwijk zich af.

'Waarschijnlijk zijn de bazen de schuld van het gedrag van hun dier,' meent Jan Verboom.

Hij geeft Anika een knipoog. 'Ik ken een merrie die zelfs op haar eerste eigenaresse lijkt.'

Anika krijgt een kleur tot diep in haar nek.

De oude baas van de Olde Bongerd grinnikt hardop. 'Ik heb geen idee over wie je het hebt.'

'Laten we maar maken dat we op het entrainement komen, de veearts wacht niet,' zegt Louis Heins.

'Heeft Jella al ontbeten?' vraagt Anika aan Jan Verboom.

'Zeker, jongedame, en eerder dan wij,' geeft hij als antwoord.

Marie maakt een lijst en geeft die aan haar man. 'Dit zijn de boodschappen die je voor me moet meebrengen, Louis. Zonder deze zaken is er vanavond geen warme maaltijd.'

Louis veegt over zijn voorhoofd. 'Je weet dat ik andere dingen aan mijn hoofd heb, Marie, dit zijn geen mannenklusjes.'

'Non...?' Marie fronst haar voorhoofd. 'Dat zal ik onthouden, Louis, als je me weer een nacht bij een paard laat waken omdat je je niet al te lekker voelt...' Ze zet haar handen in haar zij en schudt haar hoofd.

Loes biedt aan de boodschappen te doen.

'Bien, laat Louis jullie dan maar in de stad afzetten,' zegt ze tevreden.

'Vergeet deze schepsels niet op te halen, warhoofd,' zegt ze op scherpe toon.

Louis vindt het allang prima. Is hij daar mooi vanaf.

Op Longchamp is het al weer een drukte van belang. Er zijn nu meer paarden en eigenaars rond de stallen en op de baan te vinden.

De veearts heeft een vaste box uitgezocht waar de paarden een voor een bij hem gebracht worden.

De oude Henry is er zenuwachtig van. Er wordt wat bloed van Jella afgenomen en de Franse dierenarts neemt nogal de tijd om de benen van Jella te bekijken.

Anika houdt Jella bij de teugel en ze praat op zachte toon tegen haar lieveling.

'Het is nu bijna gebeurd, Jella. Rustig maar, mijn schoonheid.'

Jella hinnikt een beetje nerveus. Anika haalt diep adem als ze de veearts tegen oude Henry hoort zeggen, dat Jella in prima conditie is.

'Ga maar even met haar rijden,' zegt Jan Verboom, die wel merkt dat Jella helemaal uit haar doen is.

Anika wil niets liever. Ze brengt Jella naar het starthek en als een eenheid zijn ze weg.

Ze heeft niet in de gaten dat er heel wat mensen naar hen staan te kijken.

Ze is gewoon haar Jella aan het trainen!

Jan Verboom heeft de stopwatch gepakt en volgt Anika op haar Jella.

Louis Heins' mond valt open. 'Wat krijgt dat kind veel van deze merrie gedaan,' merkt hij op.

Jan glimlacht. 'Ze heeft wel meer op die merrierug gezeten, Jella is nog steeds haar paard.'

Hij vertelt in grote lijnen hoe ze aan Jella zijn gekomen en wat zich allemaal op de Olde Bongerd heeft afgespeeld.

Louis Heins knikt. 'Zoveel liefde voor een dier komt toch niet veel voor.'

Anika rijdt rustig het parcours met Jella uit en gooit onmiddellijk een deken over de bezwete rug van haar merrie.

'Hoe was de tijd?' vraagt ze aan Jan Verboom.

'Mm, het begint er op te lijken,' zegt deze met een grijns op zijn gezicht.

Jos en Loes nemen Jella van Anika over om haar op stal te zetten.

'Ik begrijp niet waarom Anika deze race niet op Jella mag rijden,' merkt Loes op.

'Het is een zwaar parcours en op de Olde Bongerd hebben ze nu eenmaal een Jan Verboom,' antwoordt Jos Kramers.

'Ik denk dat Anika veel sneller is. Trouwens, dat heeft ze toch eerder bewezen.'

Jos geeft Jella nog wat bix te knabbelen.

Dicky Strijbos steekt zijn hoofd om de hoek van de box en vraagt: 'Waar is mijn prinses?'

'Waarschijnlijk bij jouw Dahlia,' grinnikt Loes.

'Zeg even dat ik me na de training hier zal melden.'

De beide vriendinnen knikken. Ze zullen de boodschap doorgeven.

'Zo, Jella, je kunt even uitrusten, we komen zo terug,' zegt Loes. Ze lacht. 'Moet je mij horen, ik begin ook al tegen Jella te praten.'

Jos Kramers schudt haar hoofd. 'Gewoon geflipt, dat is het juiste woord.'

Anika staat bij de baan naar de trainingsrondjes van andere paarden te kijken als Loes en Jos terugkomen.

'Jullie trots staat wat te dromen in haar box,' meldt Jos Kramers.

Oude Henry wijst naar een bruine merrie die als een flits over de baan vliegt.

'Kijk eens wat een schoonheid. Neem de tijd eens op, Jan,' vraagt hij aan zijn trainer-jockey.

Deze fluit nadrukkelijk als hij de stopwatch indrukt.

'Jongens, dat is gewoon niet te geloven, ze is heel wat sneller dan Jella, wie is deze jongedame?'

'Rafaela heet ze en ze is eigendom van een of andere sjeik,' weet Louis Heins te vertellen.

'Nou, dan heb je hier de winnares van de koers,' merkt Jan Verboom rustig op.

Anika veert op. 'Willen jullie zomaar beweren dat de beslissing al is gevallen?' Haar stem slaat over van verontwaardiging.

De oude baas glimlacht. 'Ik heb de tijd gezien

die Rafaela loopt, daar kan jouw Jella niet tegenop, Anika, je moet wel realistisch blijven.'

Dat kan hij beter niet tegen Anika de Korte zeggen.

Ze draait zich met een schamper gebaar om en verdwijnt richting stal.

Daardoor mist ze iets spectaculairs. Dicky Strijbos heeft met veel pijn en moeite met Dahlia de trainingsbaan gehaald.

Daarna begint Dahlia te draven en te draven om vervolgens in galop over te gaan.

Razend is de jonge jockey. Hij zit echt niet voor het eerst op een paarderug, integendeel, hij is zowat in het zadel geboren. Maar dit paard zet hem compleet voor gek!

Vanavond komt de illustere eigenaar van dit mormel en hij kan nog niet eens het paard op de baan houden.

'Ik zou de zweep maar niet sparen,' roept een van de andere jockeys hem toe.

Dicky bijt op zijn lip. Hij haat jockeys die hun paarden met geweld tot prestaties aanzetten. Daar krijg je alleen ongelukken van, maar wat moet hij anders doen?

Eerst maar even met Anika overleggen, zij heeft immers een bijzondere kijk op paarden.

Dicky weet niet dat Anika in het halfduister eerst een potje heeft gehuild, dicht tegen Jella aangedrukt, en daarna met opeengeklemde lippen zichzelf heeft beloofd nog harder met haar Jella te trainen.

Vanmiddag zal ze op snelheid rijden, daar kunnen ze gif op innemen.

Dicky glimlacht als hij dat rode neusje van Anika ontdekt.

'Niet alles gaat naar wens,' constateert hij rustig.

Anika veegt driftig over haar neus en ogen.

'Vertel het maar,' zegt de jongen, terwijl hij zijn arm beschermend om de tengere schouders van zijn vriendinnetje slaat.

Hij moet even later inwendig wel lachen, als Anika heel verontwaardigd over Rafaela vertelt.

Hij heeft de merrie al een paar keer zien lopen. Een volbloed, een raspaardje!

Dicky schudt zijn hoofd. 'Maar Anika, er zijn nu eenmaal paarden die sneller dan Jella zijn. Als ik Dahlia echt aan het koersen zou krijgen, zou hij zelfs veel sneller dan Jella zijn.'

Anika buigt het hoofd. 'Wat is er dan met Dahlia?'

'Ik weet het niet, maar ik kan het dier toch niet met de zweep bewerken?' Dicky schudt zijn hoofd. 'Je moet een paard toch op een andere manier aan het draven kunnen krijgen? Vanavond komen mijn vader en de luxe eigenaar van dit monster. Ik ben eigenlijk aan het einde van mijn geduld en weet nog niet wat ik moet doen,' zucht de jonge jockey.

'Zet het monster een muts op, dan blijft hij misschien op de baan,' meent Anika.

Ze schiet overeind als Dicky haar met een juichkreet kust en daarna wegrent.

Wat heb ik nu weer gedaan? vraagt ze zich af.

Ze weet niet dat ze Dicky een waardevol idee aan de hand heeft gedaan.

'Anika, we worden zo in Parijs gedropt om boodschappen te doen, je gaat toch mee?' Jos Kramers steekt haar hoofd om de hoek van de deur.

Anika kijkt bezorgd.

'Louis Heins en Jan Verboom blijven bij Jella,' zegt haar vriendin.

Parijs, wie wil dáár nu geen kijkje nemen.

Anika kust Jella op haar zachte neus en volgt Jos naar buiten.

Ze ziet nog net dat Dicky met Dahlia naar de baan loopt. Het dier heeft een korenblauwe muts op die alleen zijn ogen vrijlaat.

De drie vriendinnen worden door oude Henry vlak bij de Place de la Concorde afgezet. 'Hier haalt Louis jullie weer om zes uur af, zorg dat jullie hem niet laten wachten.'

Dat belooft het drietal.

'Als ik het me goed herinner, is er een grote supermarkt vlak in de buurt,' zegt de oude Henry.

Hij zwaait naar het stel en draait met veel problemen de oude auto.

'Daar zijn we dan midden in Parijs,' zegt Loes van Meerwijk stralend. 'Wie had dat ooit kunnen dromen?'

'Ik zou, voor we met boodschappen gaan slepen,

best wat meer van deze stad willen zien,' knikt Anika.

'Het Louvre moet hier vlak in de buurt zijn, dat mag je beslist niet missen,' meent Jos Kramers.

'Wat is dit groot!' zegt Anika als ze bij het Louvre zijn. Haar mond valt ervan open. 'Jongens, daar kun je wel weken in zoekbrengen.'

Ze kopen een plattegrond en besluiten om allereerst de Egyptische afdeling te bezoeken.

Ze dwalen van het ene beeld naar het andere. Er is een complete graftombe te zien en de meisjes raken niet uitgekeken.

Dat de tijd voorbijvliegt hebben ze geen van drieën in de gaten.

'Ik wil ook de Mona Lisa bekijken, daar heb ik al zoveel over gelezen,' meldt Anika.

Maar dat schilderij is in een hele andere vleugel van het museum te zien en als ze daar eindelijk aankomen, zien ze er vele toeristen die de beroemde dame ook van dichtbij willen bewonderen.

'Ik heb dorst,' meldt Loes van Meerwijk.

Dus strijken ze op een terras binnen in het museum neer.

Anika kijkt toevallig op haar horloge en verschiet van kleur.

Ze schrikt zo erg, dat ze zich prompt in haar limonade verslikt. Met een rood hoofd wijst ze hulpeloos naar haar horloge, terwijl ze probeert weer adem te krijgen.

'Jongens, het is al zes uur, we hebben nog geen

boodschap gedaan en zitten een behoorlijk eind van de Place de la Concorde af.'

Anika hoort in gedachten de stem van Louis Heins zeggen: 'Je kunt dat jonge spul niet zomaar loslaten in een wereldstad.'

Ze vliegen de trappen van het Louvre af en staan even later helemaal buiten adem buiten.

'Er zal hier toch wel in de buurt een klein winkeltje zijn waar we de boodschappen kunnen halen,' meent Loes van Meerwijk.

Ze kijken zoekend om zich heen en ontdekken, terwijl ze in de richting van de Place de la Concorde lopen, een kleine zaak.

Anika zoekt in haar windjack naar de lijst. Ze weet toch zeker dat ze het papiertje in haar zak heeft gestoken.

Dan slaat ze met een wanhopig gebaar tegen haar hoofd.

Ze heeft immers op Jella gereden en de lijst zit in de zak van haar racejack.

'Dat is een mooie bak, weet je ongeveer wat er op die lijst stond?' Jos Kramers is bang dat ze met een rammelende maag naar bed zal moeten gaan.

'Mm, ongeveer. Brood, viande, maar wat voor vlees weet ik niet, fruit, melk en nog een paar spullen,' zegt Anika zachtjes.

'Het is inmiddels kwart over zes, laten we gewoon van alles meenemen, ik betaal,' zegt Jos Kramers spontaan.

Gelukkig is de eigenaresse van de kleine winkel

heel behulpzaam en staan ze, wel wat francs lichter en gepakt en gezakt, om half zeven al weer buiten.

'Louis is inmiddels ontploft,' meent Anika. 'Laten we maar een taxi nemen, het is al zo laat.'

Louis Heins is niet ontploft maar heeft al heel wat rondjes gereden, want je kunt je auto niet zo eenvoudig kwijt in het centrum van Parijs.

Hij heeft spijt als haren op zijn hoofd dat hij dit jolige drietal zomaar in de drukte van de wereldstad heeft losgelaten. Stel je voor dat hen hier wat is overkomen?

Hij is dus enorm opgelucht als de drie schuldige tieners, beladen met boodschappen, eindelijk uit een taxi stappen. 'Opschieten, jongelui, we zitten midden in het spitsuur, waren jullie de tijd vergeten?' informeert Louis.

Anika de Korte kijkt haar vriendinnen aan en begint over het Louvre te vertellen. 'Ik wilde zo graag de Mona Lisa nog zien en heb niet op mijn klokje gekeken,' neemt ze de schuld op zich.

Louis Heins glimlacht. 'We moeten van de week, na de belangrijke koers, maar een dagje naar Parijs gaan, maar dan met z'n allen. Parijs is het bekijken waard! Jullie hebben uiteindelijk alle boodschappen gekocht, dat is voor Marie het belangrijkste,' zegt Louis Heins tevreden.

Waarom de meisjes nu alle drie in een zenuwachtige lachbui losbarsten, is hem een raadsel.

Enfin, hij is immers niet aan kinderen gewend!

Hoofdstuk 5

Dicky Strijbos heeft grote pech

Marie Heins heeft wel verbaasd naar de enorme voorraad boodschappen gekeken die de drie vriendinnen vanuit Parijs hebben meegebracht. Ze moet lachen als Anika met het schaamrood op haar kaken bekent dat ze het boodschappenlijstje op Longchamp heeft achtergelaten. Ach, zulke dingen kunnen gebeuren als je tot je nek in het paardenwerk zit!

Dicky heeft tijdens de avondmaaltijd het hoogste woord. Heel blij vertelt hij dat Dahlia eindelijk op de baan is gebleven, dankzij de gouden tip die Anika hem heeft gegeven.

'Ja, dat kind is zo dom nog niet,' knikt oude Henry tevreden.

Hij steekt een pijp op en meldt terloops dat er morgenvroeg een voorkoers wordt gereden.

Anika fronst haar voorhoofd. 'Wat is dat voor iets?' wil ze weten.

Louis Heins glimlacht. 'Het is eigenlijk een koers voor insiders, mensen uit het vak. Die kunnen dan zien welke paarden zondag echt een kans maken.'

'Natuurlijk, dat is heel slim bedacht als je wilt wedden,' zegt Anika met een ernstig gezicht.

De mannen kijken de tiener onthutst aan. De helderblauwe ogen staan volkomen onschuldig.

'Er wordt toch zwaar gegokt, of niet?' vraagt Anika.

Marie grinnikt: 'Ma petite, en óf er wordt gewed, dat gaat om grof geld, moet je de mannen eens aankijken, alsof zij niets inzetten zondag!'

Jos Kramers lacht. 'Anika, je hebt de spijker op de kop geslagen.'

'Hoe laat moeten we morgen op het entrainement zijn?' vraagt deze zakelijk.

'De start is om half elf,' antwoordt Jan Verboom.

'Mm, om half negen weg,' rekent Anika uit.

'Ik ga nog even naar Jella,' kondigt ze aan en verdwijnt naar de stal.

Jos en Loes vertellen Marie over hun bezoek aan het Louvre.

'Daar kun je wel een paar weken zoekbrengen, we zijn daar veel te kort geweest,' zegt Loes spijtig.

'Ik heb de meisjes beloofd dat we na zondag met elkaar een hele dag naar Parijs gaan,' zegt Louis Heins tegen zijn vrouw.

'Goed idee, dan eten we bij Sophie in de cave,' legt Marie direct vast.

Louis heft zijn handen ten hemel. 'Dat kost me een lieve stuiver,' kreunt hij.

'Moet je maar flink wedden zondag en wel op het juiste paard,' plaagt Marie haar man.

Anika komt weer binnen en kondigt aan dat Jella al slaapt.

'Wat een verstandig paard,' prijst Marie. 'Ik denk dat jullie slaapplaatsen ook allang roepen.'

Het drietal heeft geen aansporing nodig. Parijs heeft hen vermoeid.

Anika hoort Dicky nog net zeggen dat hij morgenvroeg lord Carrington, samen met zijn vader, op de baan verwacht. 'Nu maar hopen dat Dahlia een redelijke tijd loopt.'

Jella heeft er de volgende ochtend op Longchamp duidelijk zin in. De ogen van de merrie staan helder en ondeugend in het hoofd. Ze heeft Anika een fikse lik over het gezicht gegeven en laat zich daarna gewillig zadelen.

'Ik heb bij dit paard altijd het gevoel dat ze weet dat er iets van haar wordt verlangd,' merkt Jan Verboom op.

Anika knikt. 'Dat weet ze ook.'

'Ik benijd Dicky niets, ik heb zonet die lord Carrington ontmoet, wat een kerel, echte Engelse kak,' zegt Jan Verboom.

De drie vriendinnen schieten in de lach.

'Is dat bijzondere kak?' wil Anika weten.

Jan Verboom snuit zijn neus. 'Gewoon met de nobele neus in de lucht, alsof hij iets vies ruikt.'

O, o, de slappe lach slaat toe.

'We moeten dit exemplaar van het menselijke ras eens even gaan bekijken,' giert Loes.

'Je herkent hem zo, een ouderwets rij-jasje uit het jaar nul met leren elleboogstukjes en een rijzweepje,' grijnst Jan Verboom.

Het drietal verdwijnt uit de stal en dat is maar

goed ook, want Jan moet zich op de koers voorbereiden.

Misschien is hij wel iets te ver gegaan, maar deze lord werkte nu eenmaal op Jan zijn lachspieren.

De meisjes ontdekken de Engelse edelman direct omdat hij naast de vader van Dicky op de tribune zit.

'Mm, nogal excentriek,' grijnst Jos Kramers.

Anika laat haar blikken over de baan glijden, plotseling ontdekt ze Dicky.

Dahlia heeft de korenblauwe muts weer op en Dicky stuurt het dier naar de binnenkant van de baan om uitbreken te voorkomen.

'Ik heb een onrustig gevoel als ik naar dat dier kijk,' bekent Anika haar beide vriendinnen.

'Hoezo, Dicky is een prima jockey en Dahlia luistert nu al beter,' merkt Jos op.

Anika schokschoudert. 'Het is moeilijk uit te leggen, het dier heeft iets in zijn ogen wat me niet aanstaat.'

'Tjonge, je had waarzegster moeten worden,' laat Loes zich ontvallen. 'Ik krijg de kriebels van je als je zulke dingen zegt.'

Via de luidsprekers wordt er omgeroepen dat de koers over tien minuten zal beginnen.

'Laten we hier maar gaan zitten. Van hieruit hebben we een goed uitzicht over de baan,' meent Loes.

'Ik zou best een gokje willen wagen, maar ik

weet eigenlijk niet hoe dat moet,' grinnikt Jos.

'Zondag is de echte koers, misschien kunnen we beter afwachten wat er vandaag gebeurt,' lacht Anika.

'Dan kun je altijd nog je geld in het water gooien,' knikt Loes.

Anika gaat verzitten als de dravers achter het starthek worden geplaatst.

Jella heeft een hekel aan dat hek, dat is haar bekend.

Gelukkig heeft Jan Verboom er een truc op gevonden, hij laat haar verscheidene keren in en uit de baan stappen, zodat het wachten niet te lang duurt.

Anika ziet de blauwe muts van Dahlia en dan, in een flits, vertrekken de paarden.

'Hup Jella!' schreeuwt ze. Er kijken diverse mensen naar het tengere meisje met de verwarde blonde krullen en de hemelsblauwe ogen.

Ze staat op de bank en joelt en zwaait. Er is weinig kans dat Jella haar hoort, maar dat kan Anika niet schelen.

Jella ligt in het middenveld en komt langzaam naar voren.

Je kunt merken dat Jan Verboom de merrie wat wil sparen. Trouwens, het heeft geen enkele zin om halverwege een koers een paard op te drijven.

Jella ligt nu op de zesde plaats en Anika ziet dat Dahlia op de zevende ligt.

Rafaela, het pronkpaard van de sjeik, ligt helemaal vooraan.

'Het ziet ernaar uit dat de mannen gelijk hebben, dat Rafaela een geboren winnares is,' zegt Anika een beetje teleurgesteld.

'Ze gaan de laatste bocht in!' Jos Kramers' stem slaat ervan over.

'Wat een prachtpaarden,' bewondert Loes het deelnemersveld.

'Jella is vierde geworden!' juicht Anika.

Dan ziet ze in een flits dat Dahlia probeert uit te breken en omdat Dicky dat probeert te voorkomen, wordt hij bruusk van de paarderug geslingerd.

Anika weet niet hoe snel ze naar de baan moet rennen.

Dahlia is weer gevangen en door oppassers naar de stal gebracht.

Dicky ligt nog steeds op de grond en houdt met een pijnlijk vertrokken gezicht zijn arm vast.

Anika knielt bij hem neer. 'Heb je iets gebroken?' vraagt ze met een klein stemmetje.

'Daar voelt het wel naar, vaarwel Dahlia en de Grand Course,' zegt Dicky bitter.

'Misschien valt de schade mee,' troost Jos, die inmiddels ook op de plaats van de ramp is aangekomen.

'Ik heb wel vaker iets gebroken, dus ik ken het gevoel,' merkt Dicky op.

Louis Heins helpt Dicky overeind en besluit om hem naar het dichtstbijzijnde ziekenhuis te brengen.

'Wil jij even bij Dahlia gaan kijken?' vraagt Dicky aan Anika.

Deze knikt en slikt een dikke brok weg. Het is beslist niet leuk als een van je vrienden zoiets overkomt, bovendien staat er zoveel op het spel.

Dahlia staat nog steeds te dampen in de box. Niemand heeft de hengst een deken omgegooid, waarschijnlijk zijn ze dat door de consternatie vergeten.

Staljongens hebben nu eenmaal een heilig respect voor een wilde hengst.

Anika neemt eerst de muts af en pakt een ruige doek om het dier af te drogen.

'Kijk maar uit, het is een schopper,' merkt Jos Kramers op.

'Valt wel mee, ik denk dat Dahlia zelf ook geschrokken is door de val van Dicky.'

Dahlia laat inderdaad rustig toe dat Anika hem afdroogt, ze geeft hem daarna wat bix en gooit een deken over hem heen.

'Wat gaat er nu in zo'n paardehoofd om?' vraagt Anika.

Loes haalt haar schouders op. 'Het is gewoon een monster van een hengst, misschien kunnen ze hem beter castreren, dan worden ze vaak kalmer.'

Anika is in de box van Dahlia gaan zitten en kijkt met een peinzende uitdrukking op haar gezicht naar het dier.

'Het is een schoonheid,' merkt ze op.

'Dat helpt je weinig als hij telkens uitbreekt,' lacht Loes.

'Hij is vroeger vast slecht behandeld,' meent Anika.

'Hij kan ook gewoon een moeilijk karakter hebben,' filosofeert Jos.

'Jongens, wat kan het jullie schelen. Dicky heeft zich zodanig bezeerd dat hij zondag niet kan uitkomen,' Loes reageert nuchter.

'Het dier is prachtig gebouwd, zo'n paard moet prima resultaten kunnen behalen.'

Jos zucht. 'Anika de Korte, jij geeft ook nooit op, hè?'

Louis Heins komt de stal binnen. 'Alles in orde met dit monsterpaard?' vraagt hij aan de meisjes.

Ze knikken alle drie.

'Bien, ik heb Dicky net naar huis gebracht. Zijn arm is op twee plaatsen gebroken, dus zit hij stevig in het gips, vaarwel koers op zondag.'

'Ik ben op weg om het slechte nieuws aan de lord te melden, gaan jullie mee? Ik kan wel wat morele steun gebruiken.'

Vader Strijbos kijkt bezorgd als hij hoort dat de val zulke ernstige gevolgen heeft.

Lord Carrington kijkt met een flegmatieke blik naar het groepje mensen.

'Als Dahlia zondag niet aan de start verschijnt, dan zijn onze zaken hierbij beëindigd,' zegt hij op lijzige toon.

Anika ziet aan het gezicht van vader Strijbos dat dit als een koude douche over hem heenkomt. Het zal dus wel om veel geld gaan.

'Ik ben in mijn hotel te bereiken,' zegt de lord

en hij laat de mensen verbouwereerd achter op de tribune.

'Nou breekt m'n klomp, wat een rare vogel,' laat Louis Heins zich ontvallen. 'Zulke klanten kun je beter kwijt dan rijk zijn.'

Vader Strijbos kijkt bezorgd. 'Als Joy op dit moment niet in Engeland moest rijden, kon ze hier koersen. Dat is dus uitgesloten.'

'Gaat u mee naar huis, dan kunt u met Dicky praten,' stelt Louis Heins voor.

Oude Henry komt aanlopen. Hij wrijft over zijn voorhoofd.

'Ik ben net even bij Dahlia wezen kijken, het dier staat heel rustig in zijn box,' zegt hij verbaasd.

'Ik heb hem verzorgd,' knikt Anika.

'Dahlia lijkt een beetje op Caprilli,' merkt Jan Verboom op.

'Grillig en onbetrouwbaar,' vult Anika aan.

'Laten we eerst maar naar huis rijden, ik denk dat het laatste woord over Dahlia nog niet is gevallen,' lacht Louis Heins.

Marie Heins heeft Dicky op de sofa in de kamer gedeponeerd, zodat hij toch onder de mensen is.

'Ik ben blij dat de dokter me niet vol heeft gespoten, je krijgt er zo'n punthoofd van,' meent hij.

Hij is blij verrast als hij ontdekt dat zijn vader met de groep is meegekomen.

'We zitten goed in de moeilijkheden,' zegt deze eerlijk.

’Lord Carrington wil van ons contract af en je kent de consequenties.’ De stem van vader Strijbos klinkt ernstig.

Dicky schudt zijn hoofd. ’Pap, Dahlia kan nooit een redelijke plaats halen, het paard is dwars, onbetrouwbaar en doet waar hij zelf zin in heeft. Ik begrijp weinig van lord Carrington, het kan hem niet schelen op welke plaats het dier eindigt, als hij de koers maar uitloopt.’

’Wie heeft ooit zoiets zots gehoord?’ Louis Heins kijkt naar oude Henry.

’Misschien gaat het om een weddenschap, bij zulke mensen weet je het nooit!’ meent de oude baas.

’Waarom lord Carrington Dahlia wil laten lopen, dat zal me worst zijn, maar wij zijn ons contract kwijt,’ zucht vader Strijbos.

Marie Heins heeft koffie gezet en daarbij serveert ze verse pruimentaart, maar zelfs dat kan de stemming niet verbeteren.

’Er moet toch wel een jockey te vinden zijn die Dahlia wil berijden,’ meent Marie.

’Dat betwijfel ik, vrouw, ze hebben allemaal Dicky zien buitelen,’ meent Louis.

’Er zit niets anders op dan dat ik lord Carrington een bezoek breng in zijn luxe hotel en de hele zaak afblaas,’ zegt vader Strijbos.

Anika veert op. ’Ik kan Dahlia wel mannen, ik zal hem zondag berijden!’ zegt ze eenvoudig.

Alom verbazing.

'Maar kind, dat paard is te sterk voor jou,' sputtert vader Strijbos tegen.

'Je kunt je nek wel breken, ik verbied je Dahlia te benaderen,' klinkt het vanaf de sofa.

Anika recht haar rug. De oude Henry ziet dat het kinnetje omhooggaat en met een ijzig stemmetje hoort hij haar zeggen: 'Ik wist niet dat ik al met je getrouwd was, Dicky Strijbos. Jij hebt me nog niets te verbieden!'

Marie schiet in de lach. 'Zó, die zit,' merkt ze op.

'Ik geloof dat er in deze jongedame meer pit zit dan in jullie mannen. Jij had Dahlia immers ook kunnen berijden,' zegt ze tegen haar man.

Louis Heins schudt zijn hoofd. 'Jij weet niet waar je over praat en ik ben nog niet levensmoe!'

Loes en Jos zitten perplex op hun stoelen.

'Dat kun je niet doen, Anika. Dahlia is een rampenpaard, dat heb je zelf gezegd.' Loes ziet lijkwit.

'Ik zal het wel overleven, in het ergste geval kan ik Dicky gezelschap houden met ook een onderdeel in het gips,' antwoordt Anika luchtig.

Oude Henry glimlacht. Dit is zijn Anika de Korte, niet voor één gat te vangen!

'Je hebt maar twee dagen om te trainen en dat is niet lang,' waarschuwt hij.

Anika werpt hem een dankbare blik toe. Tenminste iemand die vertrouwen in haar kunnen heeft.

Dicky is op de sofa ingeslapen, hij heeft vermoedelijk ook nog een hersenschudding, dus voorzichtigheid is geboden.

Anika kijkt met een vertederde glimlach naar haar vriend. Ze moet het gewoon proberen, stoeterij Strijbos mag geen strop hebben omdat de jockey een ongeluk heeft gekregen.

'Zeg maar tegen de excentrieke lord dat Dahlia zal worden bereden, maar niet zeggen door wie, dat is mijn eis,' zegt ze rustig.

Louis Heins biedt aan om vader Strijbos naar het hotel te rijden, zodat hij de lord op de hoogte kan brengen van het laatste nieuws.

'Ik zie jullie morgen dan wel op de baan en Anika... bedankt!' zegt vader Strijbos.

Jan Verboom schudt zijn hoofd. 'Je bent me toch wel een exemplaar, Anika de Korte,' zegt hij op bewonderende toon.

De oude baas zit over een boek gebogen en hij stoot Anika aan.

'Jij zei toch dat er iets vreemds in de blik van dat paard was, is het niet?'

Anika maakt een sprongetje. 'Dat kan de reden zijn, hij breekt uit omdat zijn ene oog niet goed is. Is dat eigenlijk wel mogelijk?'

'Ik ben geen veearts, maar we kunnen ernaar laten kijken,' meent Henry.

'Hé, Loes, Jos, ik heb jullie paarden bezorgd om te rijden, maar jullie blijven maar plakken,' zegt Marie nadrukkelijk.

Natuurlijk hebben ze wel zin in een rit, maar

door de hele toestand hier zijn ze alles vergeten.

'We zijn vóór het donker terug,' roept Loes.

Anika geeft geen antwoord. Ze heeft een probleem op te lossen en dat probleem heet Dahlia.

De oude baas komt even later terug, hij heeft met de veearts gesproken en die zal op Longchamp langsgaan om Dahlia te onderzoeken.

'Daarna komt hij hier.' Hij geeft Anika een knipoog.

Dicky draait zich moeizaam om op de sofa.

Wat zich hier allemaal in de keuken van de Mas afspeelt, gaat helemaal langs hem heen.

Hoofdstuk 6

Waar heb je anders vrienden voor

Anika slaapt die nacht behoorlijk onrustig. Ze wordt zelfs een keer bezweet wakker, wat heeft ze akelig gedroomd. Dahlia heeft Jella uit de baan gelopen en Jella moest worden afgemaakt!

Gelukkig dat dromen bedrog zijn, maar als je slaapt lijkt het levensecht. Ze is dan ook knap geradbraakt als uiteindelijk de zon aarzelend haar gezicht laat zien.

'Tjonge, wat zie jij eruit, heb je onder een stoomwals gelegen of zo?' informeert Loes, als ze het in-witte gezicht van Anika bekijkt.

'Ik heb gewoon naar gedroomd,' antwoordt Anika. 'Verder voel ik me best.'

'Mm, daar zie je niet naar uit,' bemoeit Jos zich met het geval.

'Weet je wat ik geloof, je hebt je in een wespennest gestoken en de valse wesp heet Dahlia,' meent Loes van Meerwijk.

'Je kunt je alsnog terugtrekken, dat is helemaal geen schande,' probeert Jos haar vriendin over te halen. 'Dat paard is echt levensgevaarlijk en als Dicky hem niet aankan...'

Jos haalt diep adem. Ze ziet aan het gezicht van haar vriendin dat ze kan praten tot ze groen ziet, het zal niets uitmaken.

Anika blijft iets langer dan normaal onder de

warme stralen van de douche staan en kleedt zich daarna aan.

Het zoemt in haar hoofd. Wat mankeert haar eigenlijk? Ze heeft wel voor heter vuren gestaan en dat heeft ze toch ook overleefd!

Ze trekt een knalrode trui over het hoofd en davert naar beneden.

De mannen zitten al aan het ontbijt en er heerst een geanimeerde stemming.

'Ik zet honderd francs in op Jella,' zegt Jan Verboom overmoedig.

'Het lijkt me toch beter om met gokken te wachten tot zondag,' plaagt Marie.

Anika kijkt naar oude Henry. 'Is de veearts nog geweest?' fluistert ze hem in het oor.

Hij buigt zich naar Anika over en knikt bevestigend.

'Wat doen jullie geheimzinnig,' zegt Dicky Strijbos, die vanaf de sofa alles gadeslaat.

'Vroeger werd ik tenminste nog wel eens met een kus begroet,' zegt hij op slachtofferige toon tegen Anika de Korte.

Deze krijgt een kleur tot diep in haar nek.

Ze heeft zoveel aan haar hoofd, dat Dicky zelfs ietwat op de achtergrond raakt.

Ze maakt maar gauw de vergissing goed.

'Heb je nog erge pijn?' wil Marie weten.

Dicky schudt zijn hoofd. 'Ik heb als een blok geslapen, dat zal wel door het spuitje komen dat de arts me heeft toegediend, ik heb na het eten niets meer gehoord of gezien.'

'Hij weet niet meer dat jij Dahlia zal berijden,' sist Jos haar vriendin in het oor.

'Komt mijn vader nog langs?' wil Dicky weten.

'Hij gaat rechtstreeks naar de baan op Longchamp,' zegt oude Henry.

'Ik kan in ieder geval wel mee om een handje te helpen,' meent Dicky Strijbos.

'Meer dan één handje kan niet,' grinnikt Loes van Meerwijk.

'Mijn vader was duidelijk aangeslagen dat het Dahlia-avontuur niet door kan gaan,' meent Dicky.

'Tja, zulke dingen gebeuren, vervelend als er zoveel geld op het spel staat, want dáár heb je op een stoeterij nooit genoeg van,' zegt Jan Verboom.

Dicky wrijft over zijn gezicht. 'Ik heb nog wel gezegd dat er misschien een verband om die arm kon worden gedaan, maar de arts zei dat ik ze zag vliegen.'

'Je kunt je gezondheid niet op het spel zetten voor één wedstrijd,' zegt Henry nadrukkelijk.

'Met een gebroken arm op een paard zitten, is onverantwoord,' meent ook Louis Heins.

'Gaan we oefenen met Jella?' wil Anika weten. Ze wil graag het thema Dahlia even verschuiven.

'Wat dacht je wat, het is zó zondag en dan komt het erop aan.' Jan Verboom geeft Anika een knipoog, hij begrijpt waarom Anika daar over begint.

Ze wil niet dat Dicky zich op dit moment haar plan herinnert.

'Als jullie zover zijn dan kunnen we vertrekken,' meent Louis Heins.

Anika neemt nog snel een croissant met een slok thee en trekt haar paardrijlaarzen aan.

'Wij moeten alleen de paarden nog verzorgen,' kondigt Loes aan.

'Ik dacht dat die allang hun ontbijt gekregen hadden?' zegt Louis Heins. Hij fronst zijn voorhoofd.

Deze twee meisjes zijn veel lakser dan hun vriendin Anika.

'Ik heb deze kostbare paarden voor jullie kunnen lenen, dus ik hoop dat jullie de verantwoordelijkheid beseffen,' zegt hij kort.

Jos bloost. Louis heeft gelijk, ze zijn ondankbaar en slordig. Wat zou haar vader wel zeggen als hij wist dat zijn dochter zo nonchalant met paarden omging. Zij zou toch beter moeten weten!

'Rijden jullie maar naar Longchamp, de dieren krijgen toch al te weinig beweging,' roept Louis hen na.

Jos en Loes druipen af. Wat vervelend dat Louis boos op hen is, maar hij heeft gelijk!

Jos geeft wat bix en ander voer aan de twee paarden. Daarna krijgen ze een fikse borstelbeurt. Ze zien dat het hele gezelschap vertrekt.

Loes zadelt de twee dieren en vlecht zorgvuldig hun manen.

'Het is prachtig weer om een rit te maken,' meent Loes. Ze kijkt met een scheve blik naar Jos.

Deze controleert nog even de buikriem en stijgt dan op de rug van haar rijdier.

'We zijn echte mispunten,' merkt Jos op, terwijl ze in galop overgaat.

'We hebben een prachtkans om te rijden, worden getrakteerd en helpen bar weinig.'

Loes knikt en zet haar paard tot galop aan. 'Laten wij vanavond alle taken van de stal overnemen.'

Jos knikt en ze voelt zich meteen een stuk beter!

Jella is door Anika in haar tijdelijke box gezet, terwijl Jan Verboom haar benen zwachtelt.

'Ik ga even bij Dahlia kijken,' zegt Anika nonchalant.

De oude Henry is daar al gearriveerd. Hij staat met een oudere man te praten. Anika kan het verhaal slecht volgen, zo goed is ze niet in de Franse taal.

Eén ding is Anika duidelijk. Dit is de veearts die naar Dahlia zou komen kijken.

Ze streelt de donkere manen van het dier om hem iets te kalmeren en als Henry afscheid neemt van de arts, blijft ze ongeduldig op de oude baas wachten.

Henry neemt wel de tijd. Anika bijt op haar lip.

Eindelijk komt hij terug.

'Wat heeft de arts gezegd?' Anika's stem slaat over van spanning.

'We hebben gelijk, Dahlia heeft een oogafwijking en daar is niets aan te doen.'

'Is het aan beide ogen?' vraagt Anika verbaasd.

'Nee, alleen het rechteroog, daardoor breekt hij uit, hij kan het veld niet goed overzien. Het is geen kwaadaardigheid van het dier.'

'Nou, dan hebben we het probleem toch opgelost, we binden een lapje voor het slechte oog en dan moet het lukken.'

Anika's gezicht straalt van genoegen.

'Het is te proberen, Anika, soms bedenk jij de gekste dingen.' De oude baas omarmt het meisje hartelijk.

'Ik zal eens zien of ik zo'n ooglap kan organiseren.' Fluitend verdwijnt hij over het terrein.

Dicky komt de stal binnen. Hij kijkt met een scheef oog naar het monster.

'Je hebt ons mooi in moeilijkheden gebracht,' praat hij tegen het paard.

'Ik heb net met vader gesproken, hij reageert nogal vreemd,' zegt Dicky een beetje verdrietig.

'Hoezo vreemd?' wil Anika weten.

Ze hoopt maar dat vader Strijbos hun afspraak nog niet heeft verraden.

'Op mijn simpele vraag of hij toch nog kans ziet om een jockey te krijgen om Dahlia uit te laten komen, werd alleen maar wat geglimlacht.'

Dicky schudt zijn hoofd. 'Joy kan niet overkomen en hier heeft iedereen mij op de grond zien liggen, geen mens met gezond verstand wil zo'n paard nog berijden. Ik voel me hier trouwens totaal overbodig, het liefste zou ik onmiddellijk naar huis gaan, maar vader zegt dat mijn aanwezigheid hier nodig is.'

Zijn donkere ogen staan boos en zelfs Anika kan zijn humeur niet verbeteren.

'Ik ga maar even op de baan kijken, hier loop ik me toch maar op te vreten van ergernis,' bekent hij zijn vriendinnetje.

'Misschien kun je de tijdwaarneming voor Jella verzorgen,' zegt Anika. 'Ik moet Dahlia nog voeren.'

Ze wil Dicky wel uit de stal wegkijken, want ze verwacht ieder moment Henry terug met een ooglap en dan wil ze trainen.

Waar de oude baas van de Olde Bongerd zo snel een ooglap vandaan heeft gehaald, vertelt hij Anika niet.

Eén ding is duidelijk, de oude Henry moet over veel contacten beschikken.

'Nou eens even kijken of het werkelijk iets uitmaakt,' zegt hij tegen de nerveuze tiener.

Hij bevestigt de ooglap en daardoor hoeft Dahlia de korenblauwe muts niet meer op.

'Dahlia, je lijkt wel een zeerover,' lacht Anika, terwijl ze het zadel pakt.

Dahlia hinnikt, alsof hij daarmee wil zeggen, dat hij het helemaal met Anika eens is.

'Op naar het entrainement,' zegt Anika.

Dahlia sputtert niet tegen, hij laat zich gewillig naar buiten brengen.

Henry loopt met een zorgelijk gezicht achter het tweetal aan.

Het is en blijft een riskante zaak. Dahlia is een humeurige hengst en dat soort paarden is nooit te vertrouwen.

Dicky heeft zich inmiddels bij lord Carrington en zijn vader op de tribune gevoegd.

Loes en Jos zijn ook gearriveerd. 'Ik heb onze paarden maar zolang in Dahlia's box gezet, hij is er toch niet,' merkt Jos luchtig op.

'Hoezo, is er niet, een kwartier geleden stond hij nog op stal,' zegt Dicky geschrokken.

Wat voor ramp hangt hem nu weer boven het hoofd?

'Daar loopt hij!' wijst Loes enthousiast.

Dicky's mond zakt open.

Hij herkent wel direct de oude baas van de Olde Bongerd, maar wie zit er op de paarderug?

'Dahlia draagt zijn kap niet,' zegt Dicky verbouwereerd.

Hij richt zich tot zijn vader. 'Wie berijdt Dahlia, heb je toch nog een jockey kunnen vinden?'

Zijn vader geeft zonder een woord te zeggen de verrekijker. Dicky stelt het ding in en richt de kijker op Dahlia.

'Dat beest draagt een ooglap!'

Dan herkent hij de blonde krullen die onder de cap uitpiepen.

Hij kijkt geschrokken naar zijn vader. 'Hebt u dat toegestaan? Ze kan haar nek wel breken.'

'Anika is niet zo'n fragiel persoontje, en ze heeft gisteren beslist dat Dahlia zondag uit moet komen,' verklaart Jos Kramers.

'Zijn jullie allemaal een haartje betoeterd, dat paard laat zich eenvoudig niet berijden.'

'Mm, ik meen iets anders te zien,' zegt Loes terwijl ze naar Anika kijkt.

Dicky pakt opnieuw de verrekijker. Zijn dappere vriendinnetje rijdt langzaam naar het starthek toe en daar gaan ze...

Tot zijn grote verbazing probeert Dahlia niet uit te breken, maar draaft hij op zijn gemak over de baan.

Hij geeft zonder een woord te zeggen de kijker aan zijn vader. 'Moet je nou eens kijken...!' Zijn stem klinkt schor.

Vader Strijbos volgt Dahlia en Anika met zijn kijker. Dat vriendinnetje van zijn zoon is een unieke ruiter, dat wordt hem nu duidelijk.

Lord Carrington heeft alleen maar even naar zijn paard gekeken. Het dier loopt en dat is voor hem het belangrijkste.

Het hoe en waarom interesseert hem geen fluit, het is voor hem alleen maar een grapje, een weddenschap. Dat kun je je permitteren als je in het geld kunt zwemmen.

De hele groep loopt naar beneden om Anika van dichtbij te zien rijden.

Dahlia loopt gewillig het parcours af en laat zich daarna rustig naar zijn box brengen.

'Het werkt, Henry, het is zijn oog, maar hij is lui, ik krijg er geen snelheid in.' Anika's beroepseer komt in het geding.

'De tijd is veel te kort om daar nog veel aan te doen,' meent de oude baas.

Dicky sluit Anika in zijn armen. 'Waarom doe je dit, meisje?' vraagt hij zacht.

'Waar heb je anders vrienden voor, op een dag doe je hetzelfde voor de Olde Bongerd, of voor mij,' zegt ze eenvoudig.

Ze droogt Dahlia af en moppert op de hengst. 'Je bent zo mooi, maar o zo traag, je moest je schamen.'

Loes brult van de lach. 'Moet je eens kijken, het lijkt wel alsof hij je begrijpt.'

Ze wijst naar de hengst die zijn hoofd laat hangen.

'Stil maar, jij kunt er ook niets aan doen dat je gewoon voor een grapje wordt gebruikt, wij tweetjes zullen ze zondag eens wat laten zien.'

Dahlia duwt met zijn neus tegen de schouder van Anika.

'Hier heb je fris water en rust maar wat uit, vanmiddag oefenen we weer een poosje. Jullie kunnen de twee paarden wel laten staan, dan voelt Dahlia zich niet zo alleen,' merkt Anika op.

De oude Henry geeft Anika een knipoog.

'Ik ga nu even naar Jella, ik ben zo terug,' belooft ze het paard.

Jella is behoorlijk bezweet en bijzonder dankbaar dat Anika haar met lauw water afsponst. Ze fleemt en duwt telkens uit pure baldadigheid haar hoofd tegen Anika aan.

'Jij begrijpt best dat er iets van je wordt verwacht, is het niet, meisje?' Jella hinnikt blij.

Jan Verboom komt eraan en zegt: 'Laat Jella even wat vitaminen innemen, ze spuugt die pillen telkens uit.'

Anika knikt. 'Kom, meisje, ik trakteer je op een stuk appel als je deze gekke rode dingen doorslikt.'

Jella schudt de manen. Jan blijft toekijken. Anika legt de pillen op haar hand en neemt een appel in de andere. 'Je bent geen kleuter meer. Opeten!' zegt ze streng.

Ze duwt de pillen in de mond van het paard en omdat Jella probeert die vieze dingen kwijt te raken, houdt ze de mond stevig dicht.

'Doorslikken, daarna krijg je de appel.'

De merrie begrijpt dat haar niet anders overblijft dan Anika te gehoorzamen, wil ze die lekkere appel krijgen. Ze slikt en pakt handig en vliegensvlug de appel uit Anika's hand.

'Brave meid, maar je bent wel lastig hoor,' spreekt ze haar merrie toe.

Jella eet, kwijlend van genoegen, de appel op. Met haar natte neus wrijft ze nog eens tegen het gezicht van Anika.

'Jakkes, Jella, je bent een viespeuk,' lacht ze.

'Heb je het al gehoord, ik ben met Dahlia het hele terrein over geweest,' vertelt ze aan Jan.

Deze knikt. 'Henry heeft me het hele verhaal al in geuren en kleuren verteld, dat heb je goed gedaan. Wel gek dat nooit iemand iets aan de ogen van het dier heeft gemerkt,' merkt hij op.

'Het is eenvoudiger om te denken dat de hengst een slecht karakter heeft, minder werk,' merkt Anika op zure toon op.

'Goed dat er mensen als Anika de Korte bestaan,' plaagt Jan Verboom.

Anika kleurt, maar ze weet dat Jan het heel goed met haar meent.

'Heeft Henry je ook het probleem verteld. Dahlia is lui, hij wil geen snelheid maken.'

Jan schudt zijn hoofd. 'Dat is niet in een paar dagen op te lossen, je kunt toch geen appel aan een touwtje voor zijn neus hangen om hem te laten rennen.'

'Niet eens zo'n gek idee,' glimlacht Anika. 'Ik ga nog maar een tijdje met meneer lopen. Jella moet toch wat rusten, is het niet?'

Jan Verboom knikt. 'Jella moet zeker twee uur rusten, daarna mag je met haar rijden.'

Anika kijkt op haar klokje en zwaait naar de trainer-jockey.

'Tot over twee uur, ik kom je op tijd aflossen,' belooft ze.

Loes en Jos hangen wat verveeld op de baan

rond. Er is op dit moment weinig te beleven.

Anika komt aanhollen. 'Zadel jullie paarden, ik neem Dahlia mee naar buiten, we maken een tocht door het Bois de Boulogne.'

De beide meisjes knikken toestemmend, tenminste een beetje actie.

Dahlia kijkt wel verbaasd als Anika hem opnieuw zadelt en zijn ooglap vastmaakt.

'Kom, jongeman, we gaan een poosje de natuur in. Ik ben bang dat jij nooit veel groen te zien hebt gekregen,' praat ze tegen de hengst.

Ze is de Strijbossen helemaal vergeten, die nog steeds op de tribune zitten, samen met de lord.

Dicky ziet de drie meisjes vertrekken. 'Anika berijdt Dahlia,' meldt hij zijn vader.

Deze knikt. 'Anika weet wat ze doet,' zegt hij kort.

Voor het eerst van zijn leven voelt Dicky zich opzij geschoven.

Anika, zijn vriendinnetje, die zomaar zijn plaats in de Grand Prix inneemt.

Uit vriendschap dat wel, maar hij, wat doet hij hier nog?

Anika heeft geen flauw idee dat Dicky deze hele affaire zo hoog opneemt. Inmiddels probeert zij een beetje vuur in Dahlia te blazen en dat is niet zo eenvoudig.

'Zou dat beest nooit meegenomen zijn voor een buitenrit?' vraagt Jos Kramers zich af.

Anika de Korte haalt haar schouders op. 'Hij

reageert heel anders dan bijvoorbeeld Jella. Jammer dat er nog maar zo weinig tijd is om Dahlia te prepareren, ik wil wedden dat de hengst best iets zou kunnen presteren,' merkt Anika op.

'O, o, ik zie het aan je ogen, Anika de Korte, Dahlia kan niet mee naar de Olde Bongerd en ook niet naar de Oude Aarde,' waarschuwt Jos Kramers.

Ze kent zo langzamerhand de uitdrukkingen op het gezicht van Anika wel.

'Hij zou het bij ons heel wat beter hebben,' zegt ze koppig.

Ze blaast een blonde krul uit haar gezicht en zet Dahlia met een verbeten gezicht opnieuw tot draf aan.

Hoofdstuk 7

Eindelijk is het zo ver!

De uren die de mensen van de Mas hebben gewerkt om vooral Jella klaar te stomen voor haar eerste grote Grand Prix, zijn omgevlogen.

Louis Heins is heel tevreden dat hij de oude Henry, Jan Verboom en de drie vriendinnen onderdak heeft kunnen verlenen, zodat ze goed geprepareerd op Longchamp kunnen koersen.

Dicky Strijbos is als een eigen kind in huize Heins opgenomen, maar hij is niet de Dicky waar Anika zo verliefd op is geworden. Hij is stil, humeurig en af en toe maakt hij zelfs tegen Anika stekelige opmerkingen.

'Hij is jaloers omdat jij met Dahlia uitkomt,' heeft Jos nuchter opgemerkt.

Dat kan Anika gewoonweg niet geloven.

Jaloers? Hij mag allang blij zijn dat Anika de Strijbos-stoeterij uit de penarie helpt!

Anika heeft trouwens geen tijd om bij een jaloers vriendje stil te staan. Ze oefent met Jella, ze rijdt hele einden met haar vriendinnen en natuurlijk op Dahlia, die langzaam loskomt.

'Morgen is het zover!' merkt Jan Verboom op, terwijl hij Jella voor de nacht verzorgt.

'Tja, het uur van de waarheid breekt aan,' filosofeert de oude baas Henry.

'Ik hoop dat ik goed slaap, ik krijg altijd van die

wilde dromen als ik moet rijden,' zegt Anika eerlijk.

'Meisje, er staat voor Dahlia en jou niets op het spel, Dahlia moet gewoon de koers uitrijden en dat lukt je slapend,' meent Loes op te moeten merken.

'Dat zou een vreemd beeld opleveren,' grinnikt Jos Kramers.

'Een snurkende jockey is wel iets nieuws,' plaagt Jan verder.

Anika streelt de neus van Jella. 'Ze kletsen gewoon uit hun nek, vind jij ook niet meisje?'

Jella hinnikt tevreden.

'Jella is in topconditie,' meent Louis Heins. Hij komt het hele stel ophalen voor de avondmaaltijd.

'Ik wil wedden dat ze zeker bij de eerste vijf eindigt,' lacht hij.

'Daar gaan ze weer,' kreunt Jos Kramers.

'Mannen, ze denken alleen aan geld.'

'Helaas gaat het bij de Grand Prix-races alleen om geld, de eer is van minder belang,' merkt Anika op droge toon op.

Dat heeft ze zeker in dit paardenwereldje wel geleerd. Je kunt nog zoveel van je dieren houden, ze moeten geld in het laatje brengen.

Met een zwaar gevoel in haar maag moet Anika ineens aan Jurre denken.

Jurre, de prachtige driejarige hengst, hij zou hier beslist hoge ogen hebben gegooid, maar rust nu voor eeuwig achter op het veld van de Olde Bongerd. Zo dicht liggen succes en mislukking bij elkaar.

'Wat kijk jij ineens somber, Anika, wat is er?' vraagt Henry.

Anika zucht. 'Ik moest ineens aan onze Jurre denken,' zegt ze eerlijk.

'Het heeft geen zin, meisje, om daarover te piekeren,' zegt hij zacht.

Natuurlijk willen Marie en Louis weten wie Jurre is. Er blijft Henry niet anders over dan over de prachtige veelbelovende hengst te vertellen, die zo gruwelijk aan zijn eind is gekomen.

'Hij was beslist een van de beste geweest,' zegt Anika zacht.

Henry slikt en steekt met een nerveus gebaar zijn pijp op.

'Hoe laat moeten we morgen vertrekken?' verandert hij het gespreksthema.

'De races beginnen omstreeks een uur of elf. Hopelijk is het morgen droog, deze baan verandert nogal snel in een glijbaan en veel paarden houden niet van soppige grond.'

Dicky zit een puzzel te maken. Hij heeft al een paar keer in de richting van Anika gekeken.

Maar Anika's gedachten zijn al bij de koers. Stel je voor dat Dahlia niet op de allerlaatste plek zou eindigen, hij is nu al een stuk sneller dan een paar dagen geleden. Het ziet ernaar uit dat het dier er plezier in krijgt.

'Ik ga naar bed,' kondigt Dicky aan. Hij groet een beetje afgemeten en vertrekt.

'Wat voor beest heeft hem geprikt, zoveel last

kan hij niet hebben van zijn arm,' merkt Louis op.

'Een jaloeziebeest,' zegt Jos rustig.

Anika krijgt een kleur. 'Ik wil alleen maar helpen, maar nu doet Dicky wel heel vreemd,' zegt ze zacht.

'Hij trekt wel weer bij, gewoon aan laten darren,' merkt de oude Henry op.

Anika slikt. De tranen zitten heel dichtbij, ze voelt zich miserabel.

'Laten we er morgen een feestdag van maken, we ontbijten op de baan en na de koers gaan we Parijs in,' vindt Marie Heins.

'Goed idee, al worden we laatste, morgen maken we er iets bijzonders van,' beaamt Louis Heins.

Gelukkig is Anika zo moe van het werken met Dahlia, dat ze als een blok in slaap valt.

Geen nare nachtmerries verstoren de slaap en als Marie haar wekt, voelt ze zich redelijk fit.

'Ik heb alleen koffie en thee gemaakt, we ontbijten feestelijk in het restaurant op de baan.' Marie glimlacht tevreden, ze is dolgelukkig met haar jonge gasten.

'De mannen zijn al met Jella op weg, wij nemen de jeep,' kondigt Marie aan.

Onderweg kletst ze honderduit. Over haar vader, die vroeger de mooiste paarden uit de buurt kocht en daarmee fokte. Over Parijs, de mooiste stad van heel Europa, met de gezelligste markten en kleine restaurantjes.

’Als je één keer in Parijs bent geweest, kom je er terug,’ weet ze zeker.

Longchamp ligt er luisterrijk bij en de vlaggen wapperen vrolijk. Heel wat mensen zitten al op de tribunes, terwijl het nog uren duurt voordat de eerste paarden koersen.

’Dit is een grootse dag,’ Louis Heins straalt alsof hijzelf een paard heeft dat moet uitkomen.

Vader Strijbos en lord Carrington hebben zich ook al bij het gezelschap gevoegd en in het restaurant, met uitzicht op de baan, is een uitgebreide ontbijttafel gedekt.

’Ik ga eerst even kijken hoe het met Dahlia is,’ zegt Anika en weg is ze.

Vader Strijbos kijkt een beetje geïrriteerd naar Dicky, die wat lusteloos voor zich uit zit te kijken. Hij had zelf ook wel even Dahlia kunnen verzorgen.

Lord Carrington merkt lachend op dat het meisje haar hart aan het ’zeeroverpaard’ heeft verpand. ’Ze moet het maar van me kopen,’ zegt hij vastbesloten.

De oude Henry kijkt verbaasd. Het is maar goed dat Anika deze opmerking niet heeft gehoord, want ze zou alles op alles zetten om het dier mee naar huis te nemen.

Deze lord is een echte vreemde vogel. Je weet niet wat ernst is of wat voor een grap door moet gaan!

Anika is na een dik kwartier terug. ’Ik hoop dat

er nog wat voor me is overgebleven, ik rammel,' zegt ze eerlijk.

'How is Dahlia?' vraagt de lord.

'He is in perfect shape,' antwoordt Anika rustig.

De mannen zitten al met een lijst voor hun neus om uit te dokteren op wie ze een paar francs zullen zetten, het is meer voor de sport en spanning, want met een koers vol onbekenden is het moeilijk om goed te gokken.

Jan Verboom stoot Anika aan. 'We zitten in dezelfde koers, allebei in de eerste rit.'

Anika haalt haar schouders op. 'Zolang ik Jella maar voor me zie koersen, is het goed.'

'De liefde voor Dahlia gaat niet zo ver, dat ze Jella vergeet,' lacht vader Strijbos.

'Er is voor Anika maar één nummer één en dat is Jella,' plaagt oude Henry.

Anika smeert nog maar een croissant, ze moet krachten opdoen en laat de mannen maar kletsen.

Het blijkt dat de familie Heins deze plaatsen voor de hele middag heeft gereserveerd. Je kunt van achter het raam prachtig de paarden zien draven, het is een fantastisch plekje.

De oude baas van de Olde Bongerd kijkt bezorgd naar buiten.

'De wind is gedraaid en het begint te regenen,' merkt hij op.

'Het valt wel mee, het is gewoon wat motregen,' probeert Louis Heins zijn oude vriend gerust te stellen. 'Kom op, oude brombeer, we gaan wat geld vergokken.'

Hij trekt zijn vriend mee en verdwijnt in een brede gang.

Jan Verboom knipoogt naar Anika. 'Het oude liedje, Henry met zijn verhalen over ongelukken bij regenweer.'

Jos vertelt het verhaal over die ene keer dat Anika op Jella heeft gekoerst. 'Ze had niet in de gaten dat zij eerste was geworden, ze had niets kunnen zien door de modder op haar bril.'

Marie veegt de lachtranen van haar gezicht. Vader Strijbos vertelt hetzelfde verhaal in het Engels aan lord Carrington.

Zijn reactie is heel anders. Hij denkt dat het een grapje is!

Het is maar goed dat Anika en Jan zich gereed moeten maken, want het is allesbehalve rustig in het restaurant.

Vader Strijbos geeft seintjes aan Dicky dat hij met Anika mee dient te gaan om wat te helpen. Met een zucht komt hij overeind en volgt Anika naar de box waar Dahlia onrustig staat te wachten.

'Zal ik Dahlia borstelen, dat lukt mij wel met één arm,' biedt Dicky aan.

Anika knikt. Ze ziet er prachtig uit met haar witte racebroek, de blauw-witte zijden blouse en haar cap, waaronder de krullen uitpiepen.

De oude Henry komt ook binnen. 'Ik zal de benen wel even bandageren. Ik kom net bij Jella vandaan, die heeft zin in de wedstrijd, dat kun je aan haar merken.'

'Ik zal haar zo nog even goeiedag zeggen,' lacht Anika. 'Dat helpt echt,' vult ze aan, als ze een wat spottende lach op het gezicht van Dicky ziet verschijnen.

Hij schudt maar met zijn hoofd, dit kind is wel heel bijzonder!

'Ziezo, jongeman, je benen zijn goed gezwachteld,' zegt Henry.

'Zet je berijdster niet te schande, ze heeft heel wat voor je over gehad.'

De laatste opmerking maakt dat Dicky het schaamrood op de kaken krijgt. Hij met zijn beschadigde ego, dit kind heeft inderdaad uit vriendschap heel wat voor hem over!

'Blijf jij even bij Dahlia, ik moet even Jella toitoi wensen.' Weg rent ze, Dicky met gemengde gevoelens achterlatend.

Via de luidsprekers wordt omgeroepen dat de deelnemers voor de eerste koers hun plaatsen moeten innemen!

Helemaal buiten adem komt Anika terughollen.

'Het is zo ver, wens me maar succes,' lacht ze wat beverig.

'Ik zal je helpen om Dahlia naar buiten te brengen,' zegt Dicky.

'Duim voor ons!' zegt Anika, terwijl ze nog een keer de buikriem controleert.

Ze rijdt rustig naar de starthekken, waar Jella

door de oude baas tot rust wordt gemaand.

Gek, Anika voelt zich helemaal niet nerveus. Waarschijnlijk omdat er heel weinig op het spel staat.

Ze kijkt naar Jella. 'Jeltje, loop wat je kunt, meisje, want jij bent de toekomst voor de Olde Bongerd,' zegt ze zacht.

De tune klinkt en weg zijn de vijftien driejarigen voor de eerste rit.

Dahlia loopt in een gezellig drafje naast een driejarige ruin. Hij spant zich absoluut niet in. Jella schiet naar voren en dat stemt Anika gelukkig. Ze hoort nog steeds de woorden van de Engelse lord: gewoon de koers uitlopen, verder niets!

Ze ziet dat Jella steeds meer plaatsen opschuift en merkt dat Dahlia ook wat wil gaan doen.

De hengst strekt de benen en passeert moeiteloos de drie laatsten in de koers.

'Zo meneer, je kunt dus wel wat,' praat Anika tegen de hengst.

Dahlia hinnikt vrolijk en voordat ze de laatste bocht ingaan, draaft hij gemakkelijk en heel slim nog drie paarden voorbij.

Het laatste rechte stuk en dan is ze door de finish.

'Nummer acht, je bent geplaatst voor de laatste serie,' hoort ze Dicky zeggen. 'Jella is vijfde geworden,' Jan Verboom is tevreden. 'Ze loopt in de finale, samen met jouw monster.'

'Hoe kan dat?' Anika begrijpt weinig van het ingewikkelde rekensysteem dat hierbij wordt toegepast.

'We kunnen rustig wat gaan drinken. Loes en Jos nemen de paarden over om te verzorgen.'

'Prima gelopen, Anika,' lacht Loes.

'De Engelse lord is opgetogen,' vult Jos daarbij aan.

Anika knikt en doet haar cap af. Jakkes, haar krullen zijn helemaal nat geworden.

Henry zit achter een drankje van een onduidelijke kleur, hij is in een prima humeur.

'Jella is echt een prachtmerrie, je zult zien wat ze in de toekomst nog gaat presteren,' pocht hij.

Dan vangt hij de blik op van Anika. Zijn stem zakt weg, hij ziet aan de ogen van de tiener dat ze weer aan Jurre denkt. Hij heeft ook zo over Jurre opgeschept!

'Nou ja, we zien wel wat de toekomst brengt,' besluit hij zijn verhaal.

Louis Heins zit de lord wat te 'voeren'. Hij wil weten waarom hij zo'n vreemd paard als Dahlia heeft gekocht en waarom hij het dier hier laat lopen, zonder ambitie.

Lord Carrington vertelt een zot verhaal. Hij heeft Dahlia van een vriend gekocht, die vriend heeft gezegd dat Dahlia nooit of te nimmer een koers uit kan lopen. 'Dahlia breekt telkens uit, daarom hebben mijn vriend en ik een weddenschap afgesloten om het volgende; als Dahlia de rit gewoon zou uitlopen in deze Grand Prix, betaalt hij niet het aankoopbedrag van het paard terug, maar het driedubbele bedrag, dus dat is de moeite waard.'

'Waarschijnlijk wist uw vriend dat Dahlia een oogafwijking had,' merkt Louis Heins op.

Lord Carrington grinnikt. 'Ik denk dat hij daarom zo hoog wilde wedden. Nu loopt de zeerover ook nog in een finale, ik wil zijn gezicht wel zien als ik hem dat vertel.' Lord Carringtons hoofd wordt steeds roder van opwinding.

'Vreemde gasten, die Engelsen,' meent Jan Verboom. Wedden om zoiets absurds en om zoveel geld!

Vader Strijbos straalt gelukkig. Hij heeft zijn aandeel in deze stomme weddenschap al ruimschoots verdiend.

Anika drinkt een groot glas vruchtesap. Ze heeft niet het hele verhaal kunnen volgen, maar één ding is zeker, het gaat om de knikkers en niet om het spel.

Louis Heins houdt een lijst bij waarop de diverse kanshebbers staan.

'Heb ik het niet gezegd? Kijk, Rafaela! Nummer één!'

De tijd vliegt voorbij.

Anika klimt op Dahlia's rug en fluistert hem in het oor dat hij zijn best moet doen.

Jan Verboom slaat Anika op de schouder. 'Opletten op nummer twaalf, die duwt iedere mededinger van de baan.'

Anika knikt. 'Hij mag het proberen,' zegt ze doodkalm. 'Zorg jij nu maar dat onze Jella een goede eindtijd neerzet.'

'Goed baas,' plaagt Jan.

Dan is er geen tijd meer te verliezen, het moment van de waarheid is aangebroken.

Dahlia kijkt wel even raar op, dat hij nu al weer moet draven.

Jella aarzelt geen moment als het starthek omhooggaat, als een pijl uit een boog gaat ze ervandoor.

Rafaela, het paard van de Arabische sjeik, blijft op de eerste plaats draven en geen enkel ander dier kan haar benaderen.

Nummer twaalf komt naast Anika rijden. Dahlia kijkt met zijn ene oog opzij en ontdekt iets wat hem niet aanstaat. Hij draaft vrolijk vooruit in een verhoogd tempo, de lange staart zwaait uitbundig, alsof het dier nu pas ontdekt hoe leuk het draven wel kan zijn.

Het begint plotseling hard te regenen, alsof iemand ineens de hemelsluizen heeft opengezet.

Twee paarden hebben moeite om verder te draven omdat de grond begint te soppen. Ze vallen uit.

Nummer twaalf begint zijn zweep te gebruiken, maar dat helpt weinig omdat zijn paard het verder voor gezien houdt.

Anika voelt hoe het hemelwater over haar cap in haar nek stroomt, het is niet bepaald een aangenaam gevoel. De teugels voelen snotterig aan omdat haar handschoenen doorweekt zijn.

De laatste bocht. Dahlia hinnikt vrolijk.

Anika vraagt zich af op welke plaats haar Jella wel zal lopen. Ze kan immers door het vele water weinig zien.

'Vooruit, zeerover, we moeten de finish halen!' praat ze tegen de hengst.

Dahlia draaft in een behoorlijk hoog tempo naar het eindpunt.

'Hatsjoe...!' Anika niest ervan.

Dicky neemt Dahlia over en oude Henry Jella.

'Op welke plaats is Jella geëindigd?' wil Anika weten.

'Op de derde, niet gek voor een boerenmerrie,' plaagt Jan Verboom, die ook geen droge draad meer aan zijn lijf heeft.

'Weet iemand me ook te vertellen op welke plaats ik ben geëindigd?' vraagt Anika.

'Een verdiende vijfde plaats, wat denk je daarvan?' lacht Dicky Strijbos.

'Kleed je eerst om, anders krijg je nog een longontsteking,' zegt hij tegen zijn vriendinnetje.

'Jella nummer drie, wat zullen ze daar op de Olde Bongerd blij mee zijn,' zegt Anika doodmoe maar gelukkig.

'Nou, stoeterij Strijbos is ook gered, jongedame, zonder jou hadden we een lieve som geld gemist,' zegt Dicky eerlijk.

'Wat zal er nu met Dahlia gebeuren, moet die weer terug naar zijn oude baas?' vraagt Anika.

’Geen idee, schiet maar op, er staat al een warme kop chocola op je te wachten.’

Anika zoekt naar een handdoek om haar doornatte krullen af te drogen, maar kan die niet vinden. Dan maar niet.

’Dahlia, zeerover, je hebt je dapper geweerd,’ praat ze tegen de hengst, terwijl ze hem nogmaals afdroogt. Wat bix en schoon water, het paard kan heerlijk uitrusten met een dikke paardedeken over zijn rug.

In het restaurant is het feest. Niet alleen de diverse eigenaars van de paarden zijn daar bijeen, maar ook mensen die een gokje hebben gewaagd.

Louis Heins kust Anika op beide wangen. ’Je bent een kei, meisje,’ zegt hij eerlijk.

Vader Strijbos laat champagne aanrukken en de lord heeft een Fransman aangeklampt die hem de officiële uitslag moet bezorgen.

Anika drinkt met kleine teugen van de hete chocola. Loes en Jos willen precies weten hoe het allemaal is verlopen tijdens de wedstrijd.

’Van het laatste stuk hebben we zelf ook weinig gezien,’ merkt Jan Verboom op.

De oude Henry heft het glas naar Anika. ’Op onze Jella!’

Anika knikt. Dat was immers het hoofdmotief van deze Grand Prix.

Louis Heins heeft een paar weddenschappen gewonnen.

'Nu kan ik het etentje bij Chez Sophie betalen,' lacht hij.

Marie glimlacht tevreden.

'Er is voldoende bewaking, we laten Jella en Dahlia hier maar overnachten, het is zulk beestenweer,' meent de oude Henry.

'Morgenvroeg halen we de pronkstukken wel op.'

Loes en Jos maken de oude baas op hun paarden attent.

'Die kunnen hier ook op stal blijven, dat regel ik wel.'

Anika's gezicht staat nadenkend.

Er is een vraag die haar op de lippen brandt: waar gaat Dahlia straks naar toe?

Hoofdstuk 8

Een feestje dat vreemd afloopt

Marie Heins is zeer content dat ze met al haar gasten naar Chez Sophie kan gaan om te eten.

Het wordt de Hollandse gasten al snel duidelijk waarom.

Het is een kleine bistro in een smalle straat vlak bij de Place du Tertre, de artiestenbuurt. Dit is echt het Parijs waarover de meisjes vaak in tijdschriften hebben gelezen.

Om de tafeltjes zitten zeer kleurrijke figuren geschaard die zich te goed doen aan, naar de mening van de meisjes, de meest uitheemse gerechten.

Dicky zit naast Anika en bestudeert de kaart.

Op de achtergrond wordt door twee langharige jongens gitaar gespeeld.

'De slakken en kikkerbilletjes zijn hier fantastisch,' merkt Louis op.

De drie vriendinnen kijken elkaar geschokt aan.

'Zou je hier ook normaal eten kunnen krijgen?' vraagt Loes aan Louis Heins.

Die buldert van het lachen. 'Typisch Hollands,' grinnikt hij. 'Ma petite, je kunt hier een prima biefstuk krijgen en lekkere patatjes.'

Loes van Meerwijk heeft een kleur op haar wangen. Kikkerbilletjes... ze moet er niet aan denken!

Er komt wijn op tafel en lord Carrington neemt het woord. Hij bedankt uitgebreid voor de uitnodiging en voor het rijden van de Grand Prix. Dan vertelt hij met brede gebaren dat hij hier, even buiten Parijs, een landgoed bezit en dat hij alle aanwezigen, met veel genoegen, wil uitnodigen hem daar de volgende dag te bezoeken.

Anika is zo vermoeid dat ze het halve verhaal maar opvangt. Dicky brengt haar even later op de hoogte.

'Mm, ik wil dat landgoed graag bekijken. Zou hij daar ook paarden hebben?' vraagt ze aan haar vriend.

'Geen idee, maar als die man zo rondreist zal hij wel weinig tijd op dat landgoed doorbrengen.'

Lord Carrington vraagt iets aan de oude Henry, deze kijkt daarbij erg zuinig.

Anika neemt een slok van haar vruchtesap. Waarom doet Henry zo afwerend?

Ze zit te ver weg om het gesprek te kunnen volgen, maar ziet dat Henry aarzelend nee schudt.

'Dus morgen om een uur of twaalf voor de lunch. Jullie zijn welkom!' verzekert de excentrieke Engelsman.

Vader Strijbos wordt even apart genomen en deze knikt toegevend.

'Ik denk dat er morgen direct wordt afgerekend,' zegt Dicky. 'Ik zal blij zijn als we weer thuis zijn,' voegt hij eraan toe.

'Marie heeft beloofd dat we nog een hele dag Parijs ingaan, maar als je zo gehandicapt bent is dat niet leuk,' zegt Anika toegevend.

'Ik ben nog nooit op een kasteel geweest, dat

lijkt me ook wel een evenement,' lacht Jos Kramers.

Ze heeft een klein glaasje champagne gedronken en nu ziet de wereld er wel erg roze uit!

'Morgenvroeg moeten we eerst even de paarden ophalen en ze weer thuisbrengen,' zegt Louis Heins.

Hij nipt aan zijn koffie en strijkt zijn vrouw over het haar.

Marie glimlacht, ze heeft genoten van deze dag en vooral van de afsluiting.

Ze slenteren door de verlichte straten van Parijs.

'Ik zou helemaal niet raar opkijken als bijvoorbeeld Vincent van Gogh, met zijn tekenmap onder zijn arm, hier over zou steken,' meent Jos Kramers.

'Dat wordt moeilijk, hij is al zo'n tijd dood,' zegt Jan Verboom nuchter.

'Jij hebt geen fantasie,' zegt Anika verwijtend. 'Kijk, daar loopt een tekenaar, misschien wordt hij op een dag beroemd en kunnen wij zeggen dat we hem hier hebben zien lopen.'

'Jij loopt over van fantasie en dat op de late avond,' zucht de oude Henry.

Hij legt heel even de arm om de schouders van Anika. 'Ik moet nog even naar de Olde Bongerd bellen. Philip en Margot moeten toch weten wat onze Jella heeft gepresteerd.'

Dat lijkt Anika wel logisch. Ze zullen misschien de beelden wel op de televisie hebben gezien, maar toch, ze verwachten beslist een telefoontje!

'Ik hoop dat Jella goed slaapt, ze is nog nooit zonder bekenden om zich heen in een stal achtergebleven,' merkt Anika bezorgd op.

Zal ze vragen of ze vannacht op Longchamp mag blijven? Waarschijnlijk zullen ze haar voor gek verslijten.

Anika zucht. Wat dat betreft zal zij ook blij zijn gewoon weer op de Olde Bongerd rond te kunnen rijden. Alles is haar hier een paar maatjes te groot.

Lord Carrington heeft een taxi laten bellen en is toen verdwenen.

'Een hele vreemde vogel,' merkt Louis Heins nog eens op.

'Ik weet nu nog niet waar hij Dahlia gaat onderbrengen.'

'Hij geeft geen spat om dieren,' zegt Anika fel. 'Hij ziet er alleen geld in.'

'Dat kan wel zijn, maar zo moeten wij óók denken,' zegt oude Henry.

'Maar jullie geven toch veel om de paarden, de liefde tot het dier moet toch centraal staan.'

'Ai, Anika zit op haar stokpaard,' kreunt Loes van Meerwijk.

'Als je geen haver hebt om je dieren te voeren, heeft het dier ook niets aan liefde,' gaat Jan Verboom op Anika's verhaal in.

Die haalt haar schouders op en zucht. Het schijnt dat niemand haar vanavond wil begrijpen. Ze is dan ook werkelijk blij als ze de Mas naderen. Misschien ziet de wereld er morgen weer wat stralender uit.

Anika begrijpt ineens niets meer van haar stemming. Ze voelt zich moe en verslagen, ongelofelijk, terwijl ze juist in een uitbundige stemming had moeten zijn, immers Jella haalde een derde plaats en de 'zeerover' een prachtige vijfde plek!

De hele nacht is Anika onrustig. Ze droomt, wordt wakker en slaapt daarna weer onrustig in.

Zoiets is haar nog nooit overkomen. Ze ziet in een droom Jurre, dan weer Dahlia, maar geen spoor van haar Jella...

Tegen de ochtend slaapt ze eindelijk in.

Loes en Jos besluiten om Anika maar te laten liggen. Op hun tenen sluipen ze naar beneden.

'Wat Anika vannacht had, die was knap aan het spoken,' meldt Jos Kramers aan de oude Henry.

Deze fronst zijn voorhoofd. 'Waarschijnlijk is dat hele gedoe met de eenogige hengst haar niet in de koude kleren gaan zitten,' meent hij.

'Ze maakt zich zorgen over waar het dier naar toe gaat, je weet dat Anika zich onmiddellijk aan een paard hecht,' weet Loes te vertellen.

'Louis en Jan zijn de paarden aan het ophalen, daarna moeten jullie de huurpaarden maar naar de eigenaar terugbrengen, want de koek is bijna op. Ik heb gisteravond laat nog met Philip en Margot gesproken en onze terugkomst is dringend gewenst,' zegt Henry.

'Vandaag kunnen we nog even lord Carrington bezoeken en morgen vertrekken we vlug naar Nederland.'

'Nee hè, we zouden nog een dagje naar Parijs gaan,' zegt Loes teleurgesteld.

Marie Heins geeft de beide meisjes een knipoog.

'Ik kan hen morgen toch mee naar Parijs nemen en ze de volgende dag op de trein zetten?' stelt ze voor. 'Op Longchamp koersen en dan zo weinig van Parijs te hebben gezien, dat mag toch niet,' meent ze.

'Als Louis er niets op tegen heeft, moeten we het zo maar regelen,' zegt oude Henry toegevend.

Dicky Strijbos komt binnen. 'Zo, ze hebben m'n arm opnieuw in het gips gezet, wat een gewicht heb ik mee te sjouwen,' lacht hij.

'Waar is Anika?' vraagt hij, als hij zijn vriendinnetje mist.

'Slaapt nog,' antwoordt Loes.

'Slaapt eindelijk,' verbetert Jos.

Ze vertelt dat Anika de hele nacht in de weer is geweest.

Dicky schudt zijn hoofd en denkt: dat kind heeft te veel van haar krachten geëist, alleen om stoeterij Strijbos te helpen.

Henry vertelt dat hij morgenvroeg opbreekt.

Dicky knikt. 'Ik denk dat mijn vader vanavond nog wil afreizen, er wacht ons veel werk thuis.'

Henry knikt. 'Ja, de werkvakantie zit erop, maar beide stoeterijen hebben succes gehad.'

Tegen half twaalf wordt Anika eindelijk wakker, wel met een stijve nek, maar redelijk uitgeslapen.

Ze is blij verrast als ze hoort dat ze toch nog een dagje mogen blijven.

'Is Jella er al?' wil ze weten.

'Wordt op dit moment gehaald, brokje zorg,' plaagt Henry.

Anika's gezicht straalt als ze de trailer met Jella erin het terrein op ziet rijden.

Ze laat de thee staan en vliegt naar buiten. Ze begroet de merrie alsof ze haar in maanden niet heeft gezien.

Jella is duidelijk gelukkig haar vriendinnetje weer te zien.

'Moet je die twee nou zien,' zegt Marie met een brok in haar keel.

'Die houden echt van elkaar,' merkt Loes op.

'Ja, om die twee te scheiden zal heel moeilijk zijn,' merkt Henry op.

Jella wordt door Anika onmiddellijk geborsteld en extra verwend.

De merrie glanst van genoegen als ze een appel krijgt.

'Snoeperd,' lacht Anika. Ze duwt het paardehoofd stijf tegen zich aan.

'Jij weet niet half hoe naar ik vannacht heb gedroomd,' praat ze tegen het dier.

Jella hinnikt bevestigend.

'Anika, we gaan naar het landgoed als jij zo ver bent met je schoonheid,' komt Jan melden.

Zorgvuldig wordt de staldeur afgesloten. 'Tot vanmiddag, Jeltje, misschien kunnen we nog een eindje rijden,' roept Anika haar merrie toe.

Dan gaat het gezelschap op weg naar Château Miralle.

'Waar is Dahlia eigenlijk?' vraagt Anika als ze al bijna bij het kasteel zijn.

'Die is inmiddels wel gearriveerd,' zegt Louis Heins.

'De lord heeft de nodige contacten hier in de buurt.' Zijn stem klinkt droog.

'Kijk, hier moeten we links afbuigen.'

De oude baas van de Olde Bongerd fluit. Er komt uit het niets een oprijlaan met aan beide kanten hoge cipressen te voorschijn. Als ze langzaam de laan afrijden zien ze een grote fontein in werking.

'Mm, als die man hier maar zelden komt, is dat wel energieverspilling,' merkt Jos Kramers op.

Achter de fontein verschijnt een klein droomkasteel met puntige torens die lichtgroen zijn gedekt.

Lord Carrington is in geen velden of wegen te bekennen.

'Die is met de soep bezig,' zegt Marie giechelig. Dit alles is zo onwezenlijk!

Louis Heins parkeert de niet al te nieuwe auto achter een haag. Ze lopen naar het terras dat aan het eind van een machtige marmeren trap ligt.

’Dat is pas echt kak, trappen van marmer,’ merkt Loes op.

Dan zien ze de vreemde Engelsman. Hij zit op een soort pauwetroon van wit riet en reikt flegmatiek naar een kleine zilveren tafelbel.

’Dat hoort geen mens,’ meent Anika, maar niets is minder waar. Er verschijnen twee butlers in livrei, die de jassen aannemen en tevens de bestelling van wat ze willen drinken.

De hele groep is behoorlijk onder de indruk, maar Anika breekt de spanning door te vragen waar Dahlia is.

’He is still here!’ krijgt ze als antwoord.

Anika’s Engels is niet al te briljant maar dit kan ze begrijpen.

’Nog hier? Waar gaat zeerover dan naar toe?’ Hulpzoekend kijkt ze naar Henry.

Deze legt uit dat Anika haar hart heeft verpand aan de eenogige hengst en vraagt wat voor plannen de lord met het dier heeft.

Lord Carrington kijkt een beetje verveeld. Voor hem heeft Dahlia afgedaan, hij heeft de vreemde weddenschap gewonnen en daarmee is de grap eraf!

Hij drinkt roze champagne en knippert wat tegen het zonlicht.

Anika blijft aandringen.

’Ik denk dat ik hem maar verkoop,’ zegt de lord rustig.

Anika’s gezicht wordt bleek.

’Een eenogig paard blijft moeilijkheden geven.’

Dicky seint naar zijn vader.

’Wat moet Dahlia opbrengen?’ vraagt deze quasi ongeïnteresseerd.

Lord Carrington heeft een binnenpretje. Het vreemde gezicht glanst als hij zegt: ’Ten guilders.’

Niemand doet een mond open, ze zijn allemaal stomverbaasd.

Alleen Anika reageert vliegensvlug. ’Verkocht!’ zegt ze ad rem.

Ze weet niet of dit weer een van de grapjes van de vreemde man is, maar besluit het zekere voor het onzekere te nemen en legt snel een briefje van tien gulden op tafel. ’Ik mag toch wel de papieren van Dahlia erbij hebben, is het niet?’

Iedereen begint te lachen, maar ze houden het gezicht van ’his Lordship’ in de gaten.

Hij heeft even zijn wenkbrauwen gefronst, maar daarna heeft hij met een handslag Anika eigenaresse gemaakt van Dahlia.

Eindelijk zit de stemming erin. Anika verdenkt de vreemde Engelsman ervan dit aldoor in gedachten te hebben gehad.

Ze is een paard rijker en dit keer gaat het dier mee naar de Oude Aarde!

Het is wel een man vol verrassingen. Hij spreekt met vader Strijbos af dat die Dahlia straks in de trailer zet en meeneemt naar Nederland.

Dicky geeft Anika een dikke zoen. Ze heeft zo'n extraatje wel verdiend. Het zat er dik in dat lord Carrington geen zin meer had in Dahlia.

'Wij reizen vanavond nog af, zal ik Dahlia maar naar de Oude Aarde brengen?' vraagt Dicky.

Anika knikt dolgelukkig, maar dan zakt haar feeststemming als een kaartenhuis in elkaar als ze lord Carrington over Jella hoort spreken.

Hij is druk met Henry aan het onderhandelen.

'Zo'n paard brengt misschien over een paar jaar een goed bedrag op, maar ze is nu gewoon een driejarige,' zegt hij tegen de oude baas.

'Zeker, Jella is nog niet uitgegroeid, ze wordt iedere dag beter, maar moet nog veel leren,' geeft hij toe.

'Ik bied jullie het viervoudige bedrag dat ze op dit moment waard is.'

Het wordt doodstil in de groep. Dicky ziet dat Anika's gezicht langzaam spierwit wordt.

Loes en Jos houden de adem in.

Jan Verboom fronst zijn voorhoofd en kijkt angstig naar de oude baas.

'Ik ben maar een oude man, mijn zoon gaat over de belangrijke zaken,' zegt die diplomatiek.

Lord Carrington belt. Een bediende verschijnt en komt even later met een roze telefoon te voorschijn.

'U kunt rechtstreeks bellen,' meldt hij rustig.

Henry schudt zijn hoofd. 'Jella gaat eerst mee

naar Holland, dan kan ik daarna met mijn zoon overleggen, zoiets belangrijks regel ik niet per telefoon.'

Anika voelt haar hart in de keel kloppen.

Niet weer, hè! Jella moet op de Olde Bongerd blijven, daarvoor heeft ze Lucky afgestaan, omdat die de haver voor Jella zal verdienen.

'Kom, ik zal jullie mijn orchideeënkas tonen,' zegt de vreemde man.

Hij laat Henry zomaar met de mond vol tanden staan en doet alsof de verkoop van Jella nooit aan de orde is geweest.

Louis Heins schudt zijn hoofd. 'Nu breekt mijn klomp, hij probeert gewoon iemand te overbluffen en als dat niet lukt, gaat hij over op een ander thema.'

'Je zal met zoiets getrouwd zijn,' laat Marie zich ontvallen.

'Daar is nog niemand ingetrapt,' zegt Louis op zure toon.

'Maar misschien koopt hij op een dag een vrouw, hij meent immers dat hij alles kan kopen.'

Ze volgen lord Carrington door de immense tuinen.

Anika haalt weer wat geruster adem. 'Ik dacht dat Henry beslist door de knieën zou gaan,' zegt ze zacht.

Loes schiet in de lach. 'Ben je mal, zonder Philips' zegen doet hij niets en ik denk dat hij de bluf van het geheel wel inzag.'

’Wat een schoonheden,’ laat Marie zich ontvallen als ze de tere bloemen ziet.

Met een simpel gebaar laat lord Carrington een tros roze exemplaren in een pot zetten en met een hoffelijke buiging overhandigt hij haar het kostbare geheel.

Een andere bediende komt iets met de lord bespreken.

Dan wenkt hij z’n bezoek om met hem mee te gaan en voor het eerst gaan ze het kasteel binnen.

Wat een rijkdom!

Vooral de drie vriendinnen kijken hun ogen uit. Wat een antiek! Prachtig gepoetste harnassen staan in het gelid opgesteld en midden in de ridderzaal staat een opgezet paard met ridder in volle uitrusting.

’Dat is Richelieu,’ zegt Louis Heins verbaasd.

Lord Carrington trekt zijn wenkbrauwen op.

’Ik heb dit paard geprepareerd,’ legt Louis uit. ’Veel paarden zijn destijds naar het buitenland verkocht, maar dit is wel een van mijn pronkstukken.’

Inderdaad is het paard levensecht.

’Jakkes, ik krijg er de griezels van,’ fluistert Loes van Meerwijk.

’Ik zou hier niet graag ’s nachts willen slapen, stel je voor dat het paard echt weer tot leven zou komen.’

Ze krijgt de lachers op haar hand, en lord Carrington wil wel weten waarover wordt gelachen.

Hij verzekert in zijn slome Engels dat dit paard echt stil blijft staan.

Dan wijst hij naar een grote tafel die feestelijk is gedekt. Het is kil in het kasteel, daarom is er een groot vuur aangelegd in de schouw.

'Het is net een sprookje,' zegt Anika zacht als er grote schalen met wild worden binnengedragen. En druiven uit de kassen en ander exotisch fruit.

Jos glimlacht. Als ze dit alles thuis vertelt, zullen ze zeggen dat ze niet zo moet overdrijven. Jammer dat ze geen fototoestel bij zich heeft.

'His Lordship' is een perfecte gastheer.

'Toch vond ik het bij Chez Sophie heel wat gezelliger,' fluistert Anika Marie in het oor.

Natuurlijk is het prettig om zoiets in je vakantie mee te maken, maar naar de smaak van Anika is het net iets te... te rijk en te overdadig!

Ze kijkt naar de vlammen in de schouw en denkt aan Jella, Jella waar alweer een hoog bod op is gedaan.

Zal ze op een dag de box van Jella op de Olde Bongerd leeg vinden? Ze wil er liever niet al te lang over nadenken.

Morgen gaan ze een dagje naar Parijs en vanavond brengt Dicky beslist Dahlia naar de Oude Aarde.

Hoofdstuk 9

Parijs, je bent uniek!

Wat wordt het die avond een rommelig afscheid; allereerst, na de copieuze maaltijd, van lord Carrington.

Deze heeft kort met vader Strijbos gesproken en heeft toen met een scheef lachje de papieren van Dahlia aan Anika overhandigd.

'Ik reken erop dat je me wel op de hoogte houdt, misschien ga je op een dag nog wel met hem koersen.'

Dat wil Anika wel beloven, alhoewel? Deze man vormt een blijvend gevaar voor Jella. Stel je voor dat Philip ja zegt op het aantrekkelijke aanbod! Anika moet er niet aan denken.

Toch is het bezoek aan het kasteel best aantrekkelijk geweest. Marie Heins houdt heel zorgvuldig de pot met de kostbare orchideeën op haar schoot. 'Zoiets heb ik nog nooit bezeten,' zegt ze blij.

Ze vertrekken naar de Mas van de familie Heins. Daar wordt eerst Jella uitgebreid verzorgd en in de trailer van de oude baas gezet. Henry wil nog wel een kop koffie, maar dan gaan Jan Verboom en hij, samen met Jella, op weg naar de Olde Bongerd.

Dicky en zijn vader zullen daarna ook weggaan. 'We hebben zelfs de trailer bij Dahlia cadeau gekregen,' lacht Dicky, terwijl hij Anika stevig omarmt.

'Ik heb nog een weekje vrij, misschien kunnen

we gezellig een dagje uit,' zegt hij hoopvol.

Anika knikt. 'Wij gaan morgen met Marie Parijs in, daarna worden we op de trein gezet.'

'Ik bel je wel op de Olde Bongerd. Wat wil je, breng ik Dahlia naar je huis of eerst naar Philip en Margot?'

Dat lijkt Anika een goed idee, tenslotte blijft ook zij nog een paar dagen op de Olde Bongerd logeren.

'Adieu, mon ami,' zegt Louis Heins, hij omarmt Henry hartelijk.

'Ik heb nog een paar goede flessen wijn en een paar potten zelfgemaakte jam van Marie ingepakt, zodat je nog een keertje aan ons denkt.'

Alsof er zonder cadeautjes niet over Louis en Marie zal worden gesproken.

Dan vertrekken ze allemaal en Marie zwaait met tranen in haar ogen de gasten na.

Zuchtend loopt ze met de meisjes naar binnen. 'Wat zal het stil zijn als jullie ook weer zijn vertrokken,' zegt ze zacht.

'We willen best nog een keertje komen logeren,' laat Loes zich ontvallen en ze krijgt er een kleur van.

'Jullie zijn te allen tijde welkom,' glimlacht Marie.

'Kom, ik denk dat er nog wel plaats is voor een glas melk met een stuk appeltaart.'

Anika kijkt bezorgd. 'Ik denk dat ik binnenkort moet gaan lijnen, ik ben hier tonrond geworden.'

Jos schiet in de lach. 'Waar zitten die kilo's dan wel?' vraagt ze plagend.

Anika wijst op de plek waar een buik moet zitten. Marie en de beide vriendinnen schieten spontaan in de lach.

Onzichtbare kilo's is wel heel bijzonder!

'Wat gaan we morgen allemaal in Parijs bekijken?' wil Loes weten.

'Wat willen jullie graag zien?' vraagt Marie.

'Alles!' antwoordt Anika rustig.

'In één dag?' Marie schudt haar hoofd. 'Dat lukt je nog niet in een maand, Parijs is groot en heeft facetten die de één wel en de ander niet leuk vindt.'

'Ik zou overdag best nog een keer de Place du Tertre willen zien, waar al die artiesten werken. Die avond waren ze er niet,' meent Anika.

'Goed, dan gaan we in ieder geval naar Montmartre,' zegt Marie toe. 'Dan zijn we ook dicht in de buurt van de Sacré Coeur, een kathedraal die boven op de heuvel van het artiesten-quartier ligt. Uit de verte ziet het eruit alsof de torens zijn ingesneeuwd,' vertelt Marie.

'Bien, waar gaan we verder heen, willen jullie de Eiffeltoren bekijken?'

Tot haar grote verbazing schudden de drie vriendinnen eenstemmig het hoofd.

'Die zie je zo vaak in films,' meent Loes van Meerwijk.

'We willen liever clochards zien die onder de

bruggen wonen en dan de spugers van de Notre Dame,' somt Jos op.

'We moeten morgen maar vroeg opstaan, want jullie hebben heel wat op het programma staan,' merkt Marie op.

Zelf geniet ze al bij voorbaat dat ze dit drietal zo mee kan nemen.

Louis Heins stopt die avond zijn vrouw wat extra geld toe.

'Kijk maar niet zo bezorgd, dit geld heb ik van Strijbos gekregen, hij vond het geweldig dat wij zijn Dicky zo hebben opgevangen.'

'Koop maar iets leuks voor jezelf en voor die prachtmeiden.'

De prachtmeiden hangen uit het raam. 'Jammer dat we niet wat langer kunnen blijven,' zucht Jos.

'Het is al mooi dat we nog een dag extra hebben,' meent Anika.

'Tenslotte kost de trein een aardige som geld,' merkt ze op.

'Dat hebben we aan Henry te danken.'

Anika weet best dat de oude baas een behoorlijk bedrag heeft gewonnen met de wedstrijd, daarnaast hebben de heren zeer geheimzinnig gedaan met hun zogenaamde kleine weddenschapjes!

'Als het morgen nu maar goed weer is, Parijs in de regen hebben we al gezien,' meent Loes.

'Volgens Louis werd er geen regen verwacht,' merkt Anika op.

'Laten we maar gaan slapen, hebben jullie de

kleding voor morgen al klaargelegd?'

Wat duf wordt er ja geknikt.

'Ik wil voor thuis morgen een presentje kopen,' geeuwt Anika.

Ze krijgt al geen antwoord meer. Anika sluit ook haar ogen en ziet Jella tevreden in haar box op de Olde Bongerd staan, naast haar staat de donkere 'zeerover' Dahlia. Wat zullen ze thuis raar opkijken, als ze met een eenogig paard aan komt zetten!

'Oehoe', het enige geluid dat ze hoort is dat van een uil.

'We gaan naar Parijs, dat wordt me een reis,' zingt Jos Kramers, terwijl ze de volgende ochtend onder de douche staat.

'Jongens, een vogeltje dat vroeg zingt, is voor de poes. Heb je die uitdrukking nog nooit gehoord?' vraagt Anika, terwijl ze probeert de weerbarstige blonde krullen te fatsoeneren, en dat is geen eenvoudige opgave.

Jos galmt onverschrokken door. 'Geeft niet hoor, ze hebben hier hele goede doktoren,' grinnikt Loes.

Het drietal heeft al even naar buiten gekeken. Het belooft een prachtige dag te worden.

Beneden horen ze Marie al in de keuken rondscharrelen.

'Gaan we alleen met Marie of gaat Louis ook mee?' vraagt Loes, terwijl ze haar spijkerbroek aantrekt.

'Louis Heins wordt op Longchamp verwacht, hij zet ons op Montmartre af,' weet Anika te vertellen.

'Er is vandaag toch geen koers?' meent Loes van Meerwijk.

'Hij behoort tot het vaste personeel en moet ook zorg dragen voor het onderhoud van de terreinen en alles wat daar bij hoort. Ik wil voor thuis een cadeautje kopen, dat probeerde ik jullie gisteren nog te vertellen, maar het tweetal lag al te ronken. Trouwens, Jos, jij snurkt,' zegt Anika vals.

'Ik snurken? Kind, jij hebt vast wat aan je oren,' antwoordt Jos fel.

Thuis wordt ze ook al vaak gepest, ze weet best dat ze af en toe als een zwijntje ligt te knorren, maar als je vriendin dat zegt, moet je het wel ontkennen, meent ze.

'Opschieten, jongedames, Louis heeft vanmorgen weinig tijd,' klinkt het onder aan de trap.

Ze smeren vlug een broodje en Marie pakt er nog maar een paar in voor onderweg.

'We drinken wel café au lait op Montmartre,' belooft ze het stel.

Louis Heins ratelt in onverstaanbaar Frans met zijn vrouw, ze maken een afspraak voor tegen de avond.

Onder aan de heuvel wordt het viertal afgezet.

'Bonn chance,' wenst Louis de meisjes toe.

'Als ik hier langer zou logeren, werd mijn Frans snel beter,' merkt Jos op.

Marie glimlacht. 'Frans is een schitterende taal,

maar je moet blijven oefenen, anders ben je het ook zo weer kwijt.'

'Dat heb ik met alles,' kreunt Anika. 'Alleen het woord paard blijft hangen, de rest glijdt in een diepe put.'

Er wordt wat gegniffeld. Anika is nu eenmaal een lopend rampenfonds, school zal altijd een moeilijke opgave voor haar blijven. De vakanties bij Jella moeten alles goedmaken. Gelukkig dat er een Jella bestaat!

'Even doorstappen, dan gaan we eerst vlug even een terrasje pikken. Kijk, de artiesten nemen hun plaatsen al in,' wijst Marie.

De Place du Tertre is echt schilderachtig.

'Je kunt hier heel wat bekende mensen ontmoeten, niet meer zoveel als vroeger, maar het blijft toch dé plek voor de kunstschilders,' vertelt Marie Heins.

'Hier hebben heel wat schilders een tijdje gewoond, zelfs jullie Vincent van Gogh, maar ook Renoir, Degas, Utrillo, Toulouse Lautrec, een persoon van adel,' legt Marie uit.

'Ze kwamen hier samen om iets te drinken, nou ja iets, de meesten konden heel wat drank verstouwen. Weet je, het was in die dagen armoe troef, als een van deze artiesten een tekening of schilderij verkocht, trakteerde hij iedereen. In ruil voor schilderslinnen en verf, lieten ze vroeger bij de leveranciers werken achter. Ook wel bij een van de restaurants die hun een paar maaltijden gaf, die zijn nu dus steenrijk. De jonge mensen die hier nu werken, hebben meer kans om een goede maaltijd te verdienen, want jullie zien het, het wemelt hier van de toeristen.'

Vlak bij het terras waar ze zitten staat een jonge schilder een portret te maken van een oudere niet al te slanke dame. Hij draagt een Franse baret en daar onderuit piept een donkere lok haar, die hem telkens voor de ogen valt.

Zijn ogen zijn echter niet op zijn klant gericht maar op Anika. Deze heeft niets in de gaten. Ze drinkt slappe koffie uit een enorme kop, babykoffie noemt ze het, en geniet van de kleurrijke omgeving.

Marie heeft wel de geïnteresseerde blik opgemerkt en bedenkt dat een getekend portret een leuk aandenken voor de meisjes zal zijn.

Anika ziet er inderdaad als een plaatje uit. De zon tovert lichtplekken op het stugge blonde krulhaar en de ogen stralen in het open jongemeisjesgezicht.

De oudere dame betaalt, maar onder protest. De jonge schilder heeft te weinig aandacht aan zijn model gewijd.

Marie geeft hem een seintje.

Hij komt naar het terras toe en neemt met een zwaai zijn baret af. 'Ghislain du Breuil,' stelt hij zich voor.

Marie regelt in haar ratelfrans de prijs en dan kan de jonge artiest aan zijn opdracht beginnen.

Eerst tekent hij Jos Kramers. Haar beide vriendinnen kijken gespannen toe. Dan is Loes aan de beurt. Met het korte haar heeft ze nu een veel wijzer koppie gekregen.

'Is dit laten tekenen duur?' wil Anika weten.

Marie heft haar armen naar de hemel. 'Dat vraag je niet als iemand je zoiets schenkt.'

Anika krijgt een kleur. Ze wilde helemaal niet brutaal zijn, alleen de informatie of zij zoiets kan bekostigen als presentje voor haar ouders.

Ghislain heeft het portretje van Anika voor het laatste bewaard. Hij is duidelijk geboeid door het levendige gezicht.

Het wordt dan ook uitzonderlijk goed en dan schetst hij nog een keer in zwart-wit haar gezicht.

De laatste krijttekening krijgt ze gratis. Nu heeft Anika pas in de gaten hoe de jonge Fransman haar aankijkt.

'Oh lala, c'est magnifique,' zingt Marie plagend.

De portretjes worden gefixeerd en in een kartonnen rol gestopt.

Ghislain probeert via Marie een afspraak met Anika te maken, maar deze wimpelt de belangstelling af.

'Als Dicky dit hoort, ploft hij helemaal van jaloezie,' grijnst Jos.

Anika haalt haar schouders op. 'Ik kan er niets aan doen dat ik zo charmant ben,' gniffelt ze.

'Het is maar goed dat ik bij jullie ben,' meent

Marie. 'Jullie zouden de vreemdste zaken uithalen, ben ik bang.'

'Nee hoor, we worden gewoon schildersmodel en drinken 's avonds met de schilders op hun expositie,' dikt Loes de situatie aan.

Marie troont de drie meisjes mee naar de trappen die naar de Sacré Coeur voeren.

'Jongens, wat kun je zo alles mooi zien,' zegt Jos opgetogen.

'Jammer dat ik geen fototoestel bij me heb,' zegt ze teleurgesteld.

'Ook dat is midden in Parijs geen probleem. Er lopen beroepsfotografen rond die je graag van dienst zijn,' merkt Marie op.

'We willen voor ons alle drie een foto,' zegt Anika.

Ze schrikt wel even van de prijs, maar de foto's komen perfect uit het apparaat te voorschijn.

Het is zulk prachtig weer dat ze weinig zin hebben om de kerk van binnen te bekijken.

'Ik heb ook wel eens een plaatje van boekenstalletjes langs de Seine gezien, zijn die er nu nog?' wil Loes weten.

'Zeker, misschien tref je dan ook de clochards die 's nachts onder de bruggen slapen,' lacht Marie.

'Kom, we zoeken een koetsier met paard.'

Marie wil dat deze dag voor de drie jonge gasten onvergetelijk zal worden.

Ze lopen de trappen van de Sacré Coeur af en

ontdekken inderdaad een aantal koetsiers, die op de hoek van Montmartre op klanten staan te wachten.

Anika kijkt naar de paarden. Die zien er niet al te goed verzorgd uit.

Terwijl Marie met een van de koetsiers staat te praten, zegt Anika tegen Jos: 'Kijk eens, dat dier sterft van de dorst!'

Jos Kramers knikt. 'Dat kan best, het dier staat hier misschien al een hele tijd en het is vandaag behoorlijk zonnig.'

'Instappen,' zegt Marie tegen de meisjes. Ze heeft zonet een goeie prijs afgemaakt.

Anika schudt haar hoofd. 'Eerst moet het paard worden verzorgd,' zegt ze rustig.

Marie trekt haar wenkbrauwen op.

'Het dier heeft al tijden niet te drinken gehad en misschien zelfs ook niets te eten,' merkt Anika op.

De koetsier weet niet waarom dat blonde meisje zo halsstarrig bij het paard blijft staan en geen aanstalten maakt om in de koets te stappen.

'Het dier moet eerst te drinken hebben en wat te knabbelen, anders geen tocht.'

Er blijft Marie weinig over dan het verhaal aan de koetsier over te brieven.

Deze verandert van kleur, langzaam wordt zijn gezicht roder en roder.

'Nog even en hij knapt,' fluistert Loes tegen Anika.

Hij ratelt tegen Marie en trekt een gezicht dat geen vertaling nodig heeft.

'Wat zegt hij?' informeert Anika.

'Mm, niet zo goed te vertalen, maar hij vindt dat zijn paard jou helemaal geen fluit aangaat,' vertaalt Marie aarzelend.

'O nee? Dan kan hij het vergeten, ik loop nog liever dan bij zo'n bruut in te stappen.'

Anika's kin gaat omhoog en terwijl de andere koetsiers zich met het geval gaan bemoeien, gaat Anika op de stoep zitten.

Loes en Jos scharen zich bij haar.

Marie is een beetje overdonderd. Aan zoiets heeft ze nog nooit gedacht. Nu ze goed naar het witte paard kijkt, ziet ze dat de koetsier inderdaad niet al te goed voor het dier heeft gezorgd.

'Wat doen we? Gaan we lopen, of doet deze meneer nog iets voor zijn broodwinning?' vraagt Anika op scherpe toon.

De koetsier kiest eieren voor zijn geld. Hij heeft al niet zoveel werk en als deze toeristen ook nog de benen nemen, dan is hij nog verder van huis.

Met een gezicht waar storm op af staat te lezen, loopt hij naar een fontein en haalt wat water in een oude gebutste emmer.

Anika gaat staan en voelt of het water niet al te koud is.

Dan pakt hij achter uit de koets een zak waarin hij wat haver doet.

Marie heeft moeite om haar lachen in te houden. Dit is toch te zot, een tiener die een volwassen man zó op zijn nummer zet.

Het paardje staat uiterst tevreden te kauwen.

Uiteindelijk wordt de voerzak afgenomen en kunnen de meisjes in de koets stappen.

De koetsier zit wel tijdens de hele route te mopperen, maar dat kan de meisjes weinig schelen.

Anika leunt lui achterover en bekijkt tevreden de omgeving.

Jos en Loes zitten wat te gniffelen, ze zien de humor van de situatie in.

Marie laat de koetsier dicht bij een van de Seinebruggen stoppen.

Anika legt haar hand op de neus van het magere paardje en vist uit haar broekzak een niet al te schoon suikerklontje te voorschijn.

Het beestje smakt ervan. Hij kijkt met zijn grote bruine ogen vriendelijk naar het meisje. Dit is iets wat de koetsier beslist niet doet.

Hij maakt nog een paar niet al te aardige opmerkingen, pakt zijn geld en met een klap van de zweep zet de koets zich weer in beweging.

'Wat een snertvent,' laat Anika zich ontvallen. 'Zulke mensen zouden geen dier voor hun koets mogen hebben, het is beter dat ze zelf de koets trekken.'

Marie lacht, de tranen biggelen over het smalle gezicht, ze kan eenvoudig niet meer stoppen. 'Als ik dit voorval vanavond aan Louis vertel,' herhaalt ze telkens weer.

Anika is nog verontwaardigd. Mensen die niet goed voor hun dieren zijn, kan ze niet uitstaan en ze zou geen Anika de Korte zijn als ze haar mond had gehouden.

De boekenstalletjes worden bezocht en Anika ontdekt een prachtig fotoboek over paarden. Die wil ze voor de oude Henry hebben.

Er is nog een tweede exemplaar dat ze voor Dicky koopt. Dan is het zakgeld wel zo'n beetje op. Ze heeft nog net genoeg om een bos bloemen voor Marie te kopen, want die heeft hen zo fantastisch verzorgd.

Jos en Loes zorgen voor een doos met éclairs, een soort soezen met pudding en slagroom, en een doos pijptabak voor Louis.

Wat zijn ze tevreden met hun aankopen.

Anika kijkt onder een van de vele bruggen, maar ze treft er geen clochard aan.

Dat is de enige schaduw die over deze stralende dag hangt.

'De clochards zwerven overdag door de hele stad, alleen 's avonds en 's nachts zijn ze hier te vinden,' vertelt Marie.

'Ik had zo graag een clochard meegenomen naar Nederland, hij had vader mooi kunnen helpen en dan had hij een fijn tehuis gehad,' merkt Anika op.

'Gut kind, je moet bij het Leger des Heils gaan,' laat Loes zich ontvallen. 'Is het al niet erg genoeg dat je een paard met één oog meesleept?'

Marie probeert de vriendinnen uit te leggen dat de meeste clochards niet zielig zijn, maar gewoon vrij willen leven. Natuurlijk zijn er ook gevallen die van huis en haard zijn verdreven, maar een clochard meenemen...? Marie schudt haar hoofd.

’Anika, niet alleen Parijs is uniek, jij bent het ook!’

Loes wrijft over haar maag. ’Ik begin wat te rammelen en mijn benen willen ook niet meer zo graag verder,’ zegt ze eerlijk.

Marie glimlacht. ’Het is ook welletjes geweest. Ik heb een tafeltje in een kleine bistro voor een afscheidsetentje gereserveerd, ik denk dat Louis er al zal zijn.’

Om niet het risico te lopen dat Anika opnieuw een koetsier op zijn plichten wijst, laat ze een taxi stoppen.

In de kleine zaak zit Louis al achter een glas wijn. Wat hebben ze hem veel te vertellen.

Vooral het verhaal van de koetsier wordt in sappig Frans aan Louis verteld.

De drie meisjes zijn opvallend stil. Ze eten bijna zwijgend de heerlijke maaltijd.

Parijs is uniek maar ook zeer vermoeiend, en het naderende afscheid maakt dat het drietal een beetje verdrietig is.

Hoofdstuk 10

Er is en blijft maar één Jella

Het is zo ver, de drie vriendinnen staan op het Gare du Nord te wachten op de trein die hen naar huis zal brengen.

Marie veegt een traantje weg. 'Wij Fransen hebben een speciale uitdrukking voor een situatie als deze,' zegt ze zacht.

Louis knikt. 'Ik zal jullie meteen de vertaling maar geven, afscheid nemen is een klein beetje sterven.'

Anika slikt. Dat is mooi gezegd. Je laat altijd als je ergens weggaat een klein stukje van jezelf achter.

'Laat af en toe eens wat van jullie horen, al is het maar een ansichtkaartje,' vraagt Marie.

Dat beloven ze.

'Daar komt jullie trein! Ik heb nog wat te snoepen ingepakt voor onderweg,' zegt Marie.

Louis trekt Anika plagend aan de krullen en zegt: 'Dahlia staat al op je te wachten en Jella heeft de Olde Bongerd goed vertegenwoordigd.'

Anika knikt. 'Ik ben toch bang dat lord Carrington geen nee accepteert,' zegt Anika zacht.

'Het was ook een fabelachtig hoog bedrag en ik heb van oude Henry begrepen, dat ze nou niet bepaald glorieus draaien, ondanks jouw Lucky.'

Het lijkt alsof Louis Anika een beetje probeert

voor te bereiden, weet hij soms meer van dat aanbod af?

Anika kan er niets meer over vragen. Ze moeten instappen en Marie en Louis vertrekken weer naar hun Mas.

Een kwartier later vertrekt de trein.

'Op naar de Olde Bongerd, onze vakantie is nog niet ten einde,' juicht Loes van Meerwijk.

Anika kijkt uit het raam. De oude baas heeft haar niets over problemen op de Olde Bongerd verteld. Ze hebben Lucky, die wel iets binnenbrengt, maar Caprilli is een mislukking als draver. Pronkstukken kunnen dan wel aantrekkelijk lijken, maar het schijnt toch niet zo lucratief te zijn.

'Wat zit jij te zuchten?' vraagt Jos Kramers.

Anika haalt haar schouders op. 'Louis maakte me er zonet op attent dat de zaken op de Olde Bongerd niet zó goed gaan.'

'Waar wel, mijn vader kan als manegehouder ook amper het hoofd boven water houden,' merkt ze op.

'Ik ben bang dat het royale bod op Jella niet kan worden geweigerd,' zegt Anika zacht.

'Nee hè, we zijn nog niet thuis of je begint weer over Jella door te draven,' zegt Loes geïrriteerd.

'Jella is jouw eigendom niet meer, dat schijn je gewoon te vergeten. Philip en Margot kunnen Jella verkopen als dat nodig mocht zijn.'

Anika schudt haar hoofd. 'Maar ze hebben me verzekerd dat Lucky de haver voor Jella zou kunnen verdienen.'

'Een paard heeft meer nodig dan haver en een stoeterij kan niet bestaan van een aantal koersen,' weet Jos te vertellen.

'Laten we er niet meer over praten, als de beslissing is gevallen, kunnen wij er niets meer aan doen.'

'Hier, eet een van deze verrukkelijke broodjes van Marie op, dan ziet de wereld er anders uit. Trouwens, Jella kan dan wel een uniek paard zijn, vlak je zeerover niet uit,' probeert Jos haar vriendin te troosten.

Marie heeft ook een paar tijdschriften over paarden voor hen ingepakt en op deze manier verveelt de reis niet.

Ineens stoot Jos Anika aan. Ze houdt een van de bladen onder haar neus.

'Kijk eens, hier staat een artikel over lord Carrington in.'

Anika begint te lezen. Het gaat moeizaam want het is een in de Engelse taal geschreven verhaal, maar in grote lijnen kan ze het volgen.

'Hebben jullie die foto's gezien? Hij heeft niets verteld over een trainingscentrum voor dravers,' zegt Anika verontwaardigd.

'Moet je eens kijken, wat een stallen! Vandaar dat hij zin in Jella heeft. Het kan best zijn dat Dahlia een grapje en een weddenschap was, maar deze vreemde vogel weet meer van paarden dan wij met zijn allen samen, hij heeft ons bedot.' Anika schudt haar hoofd. 'Hij heeft zelfs paarden die de Grand

National lopen,' leest ze hardop.

'Is dat bijzonder?' wil Loes weten.

'Kind, dat is het zwaarste parcours dat je je maar in kunt denken, daar gebeuren ook ieder jaar ernstige ongelukken, lees jij nooit een krant?'

'Eet me maar niet op, ik ben nu eenmaal niet zo goed geïnformeerd als het om paarden gaat,' zegt Loes wat aangebrand.

Jos lacht. 'Geeft niet, je hebt ons toch, dat helpt een heleboel.'

Loes lacht gelukkig al weer en Anika leest en herleest het artikel.

Deze vreemde, flegmatieke Engelsman hebben zij gewoon voor een rijke excentrieke vent aangezien, die alleen voor zijn plezier in de wereld ronddoolt, maar dit geeft een heel ander zicht op de man.

'We hebben ook zomaar aangenomen dat er geen vrouw in lord Carringtons leven was. Nou, hij heeft een lady en twee zoons, ook daar heeft hij met geen woord over gerept,' zegt Anika.

'We hebben er ook niet naar gevraagd,' meent Jos Kramers.

'Wij zijn de sufferds, die gewoon de man verkeerd hebben ingeschat.'

'Hij gaf ook telkens halve antwoorden,' merkt Anika op.

'Nu hebben we iets om aan Henry, Philip en Margot te laten zien, wat zullen die opkijken,' meent Loes van Meerwijk.

'Tjonge, wat een bedrijf, die zit er beslist warmpjes bij,' meent Anika.

'Alleen meneer zijn vakantiehuisje was al te gek,' merkt Jos op.

'Ik hoop dat Henry ons af komt halen, denk je dat Louis heeft gebeld?' vraagt Jos zich af.

'Vast wel, dat is zo'n Pietje precies,' lacht Anika.

'We hebben het toch wel fantastisch gehad tijdens dit weekje,' stelt Loes vast.

'Ik heb er zelfs een paard aan overgehouden en wel voor het ronde bedrag van tien gulden. Dat is ook iets wat ik nog steeds niet begrijp, dat paard had toch bij de vorige eigenaar teruggebracht kunnen worden,' concludeert Anika.

'Die man had gewoon dóór dat jij verkikkerd op dat dier was geraakt, hij heeft je gewoon een presentje willen geven.' Jos is zeker van haar zaak.

'We zijn er al bijna,' zegt Loes even later verbaasd.

De tijd is omgevlogen tijdens hun geklets en gefilosofeer.

De trein loopt het station binnen en de drie meisjes zoeken hun spullen bij elkaar.

Anika draait het raampje open om te kijken of ze Henry kan ontdekken. Maar geen spoor van de oude baas van de Olde Bongerd.

'Uitstappen, Anika, íemand zal ons wel af komen halen,' meent Loes praktisch.

Het is druk op het perron, maar geen bekend gezicht tussen al die vreemde mensen.

'We zullen nog vijf minuten wachten, anders moeten we de bus nemen,' zegt Jos.

Ineens begint ze te roepen: 'Kick...! Hier zijn we...!'

Kick Kramers, haar oudste broer en ook de veearts van de Olde Bongerd, staat ze op te wachten.

'Dag meiden, sorry dat ik een beetje laat ben, autopech!'

'Hoe is dát nu mogelijk, je hebt zo'n fantastische wagen,' plaagt Jos.

'Het is sowieso een wonder dat het ding nog loopt,' merkt Anika zuur op.

'Is dit mijn dank?' vraagt Kick een beetje beledigd. 'Neem ik vrijwillig een klus op me die niet al te eenvoudig is en dan word ik zó behandeld!'

Anika slaat haar armen om z'n hals. 'Stil maar, breng ons maar gauw naar de Olde Bongerd, we willen dolgraag naar Jella en Dahlia.'

'Over Dahlia gesproken, je hebt wel weer wat in huis gehaald, vind je niet?' Kick grinnikt. 'Jongens, je had de gezichten van Philip en Margot moeten zien toen hij werd uitgeladen.'

'Maar zeerover loopt best, tenminste, als hij zijn ooglap voor heeft,' zegt Anika rustig.

'Dat heb ik van Henry gehoord en ook dat Jella een derde plaats heeft gehaald. Ze heeft overigens wel een verstuiking aan haar rechterbeen.'

'Hoe kan dat nou, ze was in een prima staat toen ze in de trailer stapte.' Anika's stem slaat over.

'Stil maar, jongedame, alles is onder controle,' sust hij het nerveuze meisje.

De oude auto van Kick sputtert wel af en toe, maar toch komen ze redelijk snel op de Olde Bongerd aan.

Philip en Margot begroeten de meisjes. 'Er is al voor je gebeld, Anika, een zekere Dicky Strijbos, heb je daar wel eens van gehoord?'

Anika krijgt een kleur. Margot plaagt haar maar wat graag.

'Als jullie eerst even je spullen naar boven willen brengen, dan schep ik daarna de soep op. Het is geen weer om de tent op te zetten, daarom heb ik jullie maar bij elkaar op het kleine kamertje geparkeerd. Niet al te ruim, maar je kunt er slapen,' merkt ze op.

Anika glimlacht. 'Ik ga eerst even bij Jella en Dahlia kijken. Hoe vinden jullie overigens mijn zeerover?'

Philip lacht. 'Je zult eens geen paard mee naar huis brengen, Anika.'

'Waar is Henry?' vraagt Anika.

'Hij is met Jan Verboom bij de pronkstukken, zegt Margot.

Anika fronst haar voorhoofd. Je vindt Jan en Henry op het entrainement, maar haast nooit in de stallen...!

'Is er iets niet in orde?' vraagt ze ineens.

'Hoe kom je daar nu bij, ga maar even naar Jella.' Margot kijkt haar man Philip vragend aan.

Anika rent de stal binnen en ziet dat Jella op haar eigen plaats staat.

'Dag meisje, heb jij je enkel verstuikt?' praat ze tegen haar lieveling.

Jella legt haar smalle hoofd tegen Anika's gezicht.

Dan is Dahlia aan de beurt. Hij herkent onmiddellijk de stem van zijn berijdster en als ze hem ook nog een appel geeft, vindt hij het prima dat hij over zijn neus wordt gestreeld.

Dan ontdekt ze de oude baas samen met Jan Verboom. Ze hebben een lijst bij zich waarop ze allerlei dingen noteren.

'Zo prinses, ben je ook weer thuis,' begroet Henry het meisje.

'Hoe was het dagje Parijs, was het de moeite waard? Vertel het maar tijdens het eten, anders moet je je avonturen twee keer vertellen, ik denk dat Margot en Philip ook alles willen horen.'

'Laten we het zo dan maar regelen, Jan,' zegt hij tegen de trainer.

Deze knikt niet al te gelukkig en dan vertrekken ze naar de woonkeuken, waar Margot op hen wacht.

'Weet je wat wij hebben ontdekt?' zegt Anika tegen de oude baas.

'Lord Carrington is niet alleen stinkend rijk, maar hij heeft ook een van de grootste trainingscentra van Engeland, zijn wij daar mooi ingelopen,' lacht Anika. 'Dachten we dat het een gewone excentriekeling was, gek op een paar weddenschappen. Nee hoor, hij bezit zelfs paarden die de Grand National lopen.'

Henry wrijft over zijn gezicht. 'Daar ben ik inmiddels ook achtergekomen,' zegt hij rustig.

'Kom, we gaan eerst een hapje eten, ik neem aan dat jullie uitgehongerd zijn na zo'n lange reis.'

'Nee hoor, Marie heeft ons goed bevoorraad,' grinnikt Anika.

'Maar iets lekkers gaat er altijd wel in.'

Anika legt het tijdschrift op tafel waarin het artikel over lord Carrington staat.

Henry kijkt over de tafel naar zijn zoon en schoondochter.

Anika kijkt de kring rond en legt haar lepel neer. 'Jella wordt verkocht is het niet? Dit keer kan geen Lucky of Dahlia haar redden.'

Philip buigt zijn hoofd. 'Het wordt een leasekoopcontract, we kunnen een enorm huurbedrag voor Jella maken als we haar voor drie jaar afstaan aan lord Carrington.'

Doodse stilte heerst er in de keuken.

'Wat gebeurt er na die drie jaar?' horen ze Anika vragen.

'We nemen aan dat ze dan inmiddels een beroemde draver is geworden, en lord Carrington heeft dan het recht om haar te kopen, maar wel voor de prijs die ze op dat moment waard is,' zegt Henry.

'Ik heb het voorvoeld! De zaken gaan hier niet

goed, hè?' Ze vraagt het aarzelend.

De oude baas, Philip en Margot knikken.

'Wanneer gaat Jella weg?' De stem van Anika is emotieloos.

'Volgende week,' antwoordt Henry met een diepe zucht. 'Met haar vertrekt ook Caprilli en er zijn nog twee paarden die waarschijnlijk de overtocht naar Engeland zullen maken.'

Anika laat haar soep staan. Haar levendige gezichtje is doodsbleek.

'Ik heb geen honger meer, ik ga maar naar bed,' zegt ze zacht.

Zonder welterusten te zeggen verdwijnt ze naar boven.

Ze schuift het raam wijd open en tuurt over de velden van de Olde Bongerd.

Wat heeft ze hier al veel beleefd, vooral fijne uren. Nu voelt ze zich anders. Drie jaar zonder Jella, dat kan ze zich zelfs niet voorstellen! Drie jaar, daarna is het dier toch te kostbaar voor de Olde Bongerd geworden.

Dit is een afscheid voor altijd, dat voelt Anika goed aan. Ze krijgt een groot brok in haar keel en het lijkt alsof er een steen in haar maag is neergeploft. Ze kan niet huilen, het is een dof gevoel, alsof haar wereld vergaat.

Ze hoort in gedachten de stem van Loes die haar vertelde dat Jella haar eigendom niet meer is. Natuurlijk is Jella niet van haar, maar al haar liefde heeft ze op dit dier geprojecteerd.

Een leven zonder Jella is zo anders, dat kan ze niemand uitleggen.

Doodstil en met droge ogen, maar met een gebroken hart, staat ze voor het raam.

Daar staat ze nog te kleumen als Loes en Jos genoeg moed hebben opgevat om naar boven te gaan.

'Kind, je kunt wel een longontsteking oplopen, je bent ijskoud,' zegt Jos geschrokken, als ze het koude gezicht van haar vriendin aanraakt.

'We dachten dat je al sliep.'

'Slapen?' Anika lacht bitter. 'Ik kan nu niet slapen, ik voel me leeg en verlaten.'

'Wij hebben anders beneden nog iets leuks gehoord,' probeert Jos te vertellen.

Anika reageert helemaal niet.

'Luister je wel?' Jos Kramers kijkt bezorgd naar haar lievelingsvriendin.

'Jella gaat bij lord Carrington in training, dat wel, maar jij mag de hele zomervakantie daar logeren. Dat hebben Philip en Henry wel bedongen.'

'Je houdt in ieder geval contact met je lieveling, dus is het geen afscheid voor altijd,' vult Loes aan.

De hele zomervakantie, dat zijn zeven weken! Anika slikt. Het is toch wel lief van de mensen van de Olde Bongerd dat ze aan haar hebben gedacht.

'Laten we maar gaan slapen,' zegt ze dan mat. Ze voelt zich doodmoe en dat is de reden dat ze verder geen tijd heeft om te piekeren.

'Je hebt Dicky niet teruggebeld, hij komt morgenvroeg wel even langs,' meldt Jos, terwijl ze haar tanden poetst.

Anika sluit haar ogen. Dicky... Jella... Haar laatste gedachte is toch weer voor Jella.

Het wordt een onrustige nacht voor Anika. Ze spookt door de boerderij. Drinkt beneden in de keuken een glas melk, gaat dan weer naar bed, slaapt even in, maar wordt dan weer met een schok wakker en heeft het warm en koud tegelijk.

Om haar vriendinnen niet te storen kleedt ze zich aan en gaat naar beneden.

Anika probeert zo stil mogelijk te zijn, maar toch wordt ze gehoord. De oude Henry hoort iets rondspoken en trekt zijn ochtendjas aan.

Anika's weg voert naar de stal. Ze gaat bij Jella in de box zitten.

Jella die rustig heeft geslapen, knippert met grote verbaasde ogen als ze Anika's stem hoort. Ze hinnikt alsof ze wil vertellen dat het wel zot is om zo midden in de nacht een paard te komen bezoeken.

'Jeltje, je gaat weg van hier, heb je het al gehoord? Je bent zo'n goede draver dat je een prima toekomst wacht, maar zonder mij...' praat ze tegen haar Jella.

Henry staat al een tijdje achter de deur te luisteren.

'Kun jij je een leven zonder mij voorstellen, Jeltje? Ik kan niet zonder jou, maar je bent niet meer van mij. Ik mag je nog wel komen opzoeken, maar toch is dat anders.'

De stem van Anika klinkt o zo verdrietig en de oude Henry wrijft nadrukkelijk over zijn ogen. Hij zou ik weet niet wat willen geven om de overeenkomst met lord Carrington ongedaan te maken, maar het is onmogelijk, ook al wordt er een mensenkind doodongelukkig door.

Jella is nu klaarwakker. Ze staat naast Dahlia en duwt met haar neus tegen zijn bovendeur.

'Ja, Jella, ik weet dat Dahlia bij me blijft, maar er is maar één Jella en dat weet je best,' verzekert Anika.

Nu lopen de tranen over haar wangen. Eindelijk kan ze huilen. Op dat moment komt Henry de stal binnen.

'Wat spook jij hier rond, Anika?' zegt hij zacht. 'Kom, wichtje, huil maar uit, afscheid nemen doet pijn, maar je kunt de volle zomervakanties bij Jella zijn en dat is toch een mooie uitnodiging,' troost hij de tiener.

'Jella is uniek en daarom moet ze gaan. Het is een soort drafschool, je zult zien, ze wordt nog sneller en nog mooier en wie weet wat de toekomst ons brengt. Misschien staat ze hier over drie jaar wel weer op stal.'

Anika glimlacht. 'Dan is ze nog meer waard geworden!'

Henry knikt. 'Je hebt gelijk, ik mag je niets voorspiegelen, al zou ik dat graag doen. Probeer wat te slapen, je bent gewoonweg versteend.'

Anika kust de neus van Jella en aait daarna Dahlia, die ook wakker is geworden.

Samen lopen ze op hun tenen het huis weer binnen.

'Ik wil morgen naar huis, ik wil ook geen afscheid van Jella nemen,' zegt Anika rustig.

Henry kijkt haar aan.

'Ik kan geen afscheid nemen. Als ik morgen naar de Oude Aarde vertrek met Dahlia, doe ik net zo als iedere vakantie. Ik zeg dan: Dag Jeltje, tot de volgende keer, doe je best en denk aan mij.' Haar stem breekt, de volgende zomervakantie is nog zó ver weg!

Henry slikt. 'Maar de zon gaat wel weer schijnen, Anika de Korte. Jella zal jou nooit vergeten en al is die lord Carrington een vreemde vogel, hij heeft onmiddellijk de liefde herkend die jij aan paarden geeft, je zult dáár altijd welkom zijn, dat weet ik zeker.'

Anika lacht een beetje beverig en zegt: 'Er is maar één Jella en voor mij zal ze altijd nummer één blijven!'